L'ALCOOL ET LA NOSTALGIE

DU MÊME AUTEUR

La Perfection du tir, Actes Sud, 2003 (prix des Cinq Continents de la francophonie) ; Babel n° 903.

Remonter l'Orénoque, Actes Sud, 2005.

Bréviaire des artificiers (illustrations de Pierre Marquès), Verticales, 2007 ; Folio n° 5110.

Zone, Actes Sud, 2008 (prix Décembre, bourse Thyde-Monnier SGDL, prix Cadmous, prix Candide, prix du Livre Inter 2009, prix Initiales 2009) ; Babel n° 1020.

Mangée, mangée. Un conte balkanique et terrifique (illustrations de Pierre Marquès), Actes Sud Junior, 2009.

Parle-leur de batailles, de rois et d'éléphants, Actes Sud, 2010 (prix Goncourt des lycéens, prix du livre en Poitou-Charentes 2011) ; Babel n° 1153.

L'Alcool et la Nostalgie, éditions Inculte, 2011.

Rue des Voleurs, Actes Sud, 2012 (prix Liste Goncourt / Le Choix de l'Orient, prix littéraire de la Porte Dorée, prix du Roman-News) ; Babel n° 1259.

Tout sera oublié (illustrations de Pierre Marquès), Actes Sud BD, 2013.

Boussole, Actes Sud, 2015, (prix Goncourt).

© Éditions Inculte, 2011

ISBN 978-2-330-00659-4

MATHIAS ENARD

L'ALCOOL
ET LA NOSTALGIE

roman

BABEL

L'Alcool et la Nostalgie est l'adaptation plus ou moins fidèle d'une fiction radiophonique de 100 minutes écrite dans le Transsibérien entre Moscou et Novossibirsk et diffusée par France Culture en juillet 2010. Dans sa distribution originale, ce *hörspiel* comptait avec la participation des comédiens Julie Pouillon et Serge Vladimirov, et était réalisé par Cédric Aussir. Ce voyage – le vrai – a été rendu possible par Cultures France, dans le cadre de l'Année France-Russie.

—Vous exagérez, cher monsieur. Et même, vous vous trompez. Vous aurez beau chercher, vous ne trouverez rien. Cette fameuse âme russe n'existe pas. Les seules choses tangibles en sont l'alcool, la nostalgie et le goût pour les courses de chevaux. Rien de plus, je vous l'assure.

ANTON TCHEKHOV, *La Poste de Tver*

A Jeanne, où qu'elle soit.

MOSCOU

Tu es un faux frère, Vladimir, tu ne bois pas, pas une goutte mon salaud, malgré les kilomètres de bouleaux brûlés et les voix éraillées qui crient que nous allons crever. Après avoir vu Moscou, tu me fais ça, te taire, trop saoul, peut-être saoulé par la vie t'es-tu laissé aller, alors que le train arrive précisément à Vladimir : j'ai une histoire à te raconter Vlado, je l'ai entendue à Moscou, tu sais, la ville familière et grise, avec ses voitures, les surprises des bulbes d'or, fleurs amicales qui ruissellent de pluie. Décidément, le voyage n'est rien. Tout y ressemble à tout. Cet hôtel soviétique où j'ai dormi hier, avec son lit de 80 cm de large, son frigo vide vibrant dans la nuit, ses rideaux fleurdelisés, sa moquette tachée, son papier peint couleur cul-de-singe, tout ça ne donnait même pas envie de se recoucher. J'essaye d'imaginer cet endroit sous le soleil ; il serait sans doute pire encore. Il faut que je m'habitue. Un voyageur doit s'habituer, dit-on. Une discipline, une pratique. Volodia, je crois que je ne suis pas fait pour voyager, même avec toi. Seule m'intéresse la perspective de l'amitié, de la rencontre, mais je sais par ailleurs que c'est une chose qui n'est pas facilement offerte au voyageur. Il n'y a que la Patagonie, la Patagonie qui convienne à mon immense tristesse. Mensonges que tout cela. Tu sais ce que c'est, la solitude et l'ennui d'une chambre d'hôtel, où l'on n'a rien à faire, où l'on ne fait pas ce que l'on devrait faire, dormir, boire, lire ou écrire des œuvres inoubliables. Rien de tout cela. Le cœur tiède de Moscou bat dans son cercueil de lave. Combien d'heures me reste-t-il à perdre ? En arrivant de l'aéroport, j'ai vu le monument qui signale la limite de l'avancée allemande, sur la route de Léningrad, deux chevaux de frise géants pour arrêter les chars démesurés du souvenir.

Еще не умер ты, еще ты не один…

Ces coups de téléphone que nous craignons tous au milieu de la nuit, à trois heures du matin, réveillé par la sonnerie de mon portable, j'ai reconnu un numéro russe, Moscou, ce n'était pas celui de Jeanne. L'espace d'une seconde j'ai imaginé qu'elle avait eu un accident, qu'on m'appelait pour m'apprendre qu'elle était morte, j'ai regardé l'écran de l'appareil, j'ai fini par décrocher, juste avant le répondeur, j'ai reconnu sa voix, allô, j'ai fait allô aussi, allô allô Jeanne ? Mathias, elle a dit, et rien d'autre, oui, c'est moi, qu'est-ce qui se passe, qu'est-ce qui t'arrive, elle ne répondait pas, j'ai dû répéter son prénom une dizaine de fois, allô Jeanne ? Jeanne ? J'ai pensé qu'elle était ivre et qu'elle avait eu soudain envie de m'appeler au milieu de la nuit, mais elle ne disait rien, rien du tout, pas un mot, j'entendais juste son souffle, elle était là mais restait silencieuse. Ça m'a énervé, tout d'un coup, j'ai dit Jeanne il est trois heures du matin, si tu ne parles pas je raccroche, et après un long moment elle a juste soufflé : c'est Vladimir. Rien d'autre, ce n'était pas la peine de rajouter quoi que ce soit, j'ai plongé dans le silence.

Huit jours plus tard, j'étais à Moscou, où je ne reconnaissais rien ; il y avait un nouveau terminal à l'aéroport de Cheremetievo, j'avais l'impression de m'être trompé de pays. Jeanne m'attendait à la gare Bielorusskaïa, que je ne connaissais pas non plus. Il pleuvait.

Je ne me souviens plus à quel moment précis j'ai pris la décision de faire ce voyage, de te ramener jusqu'en Sibérie, mais à Moscou, la ville des mille et trois clochers et des sept gares, je tremblais dans la bruine en tenant la main de Jeanne ; elle était pâle, fragile, les yeux cernés, avec dans l'haleine une odeur d'éther, de vodka ou de médicaments.

"Ça va, c'était pas trop long ?

— C'est toujours trop long, l'avion, j'ai dit. J'avais hâte de te voir, j'ai menti.

— Moi aussi.

— Ça va ?

— Pas vraiment, je n'ai pas dormi depuis une semaine. Je pense à lui tout le temps.

— Moi non plus. Ça va pas très fort. J'ai plus de cachetons que de fringues dans ma valise.

— Elle est toute petite, ta valise.

— Je ne vais pas rester très longtemps. D'ailleurs il faut que je te dise, j'ai réservé un hôtel.

— Ah bon ? Tu ne veux pas venir chez moi, plutôt ?"

Elle le disait d'une voix neutre, comme si ça ne lui importait pas vraiment ; j'ai senti qu'elle dissimulait, et moi aussi sans doute. J'ai besoin de rester seul, j'ai dit. Quelle connerie prétentieuse. J'avais besoin d'elle, en fait, mais sans pouvoir l'admettre.

Il y avait près de deux ans que je ne l'avais pas vue, ses cheveux châtains étaient plus longs me semblait-il, ses lèvres plus claires, sa peau plus blanche.

J'ai eu la sensation d'être un cousin éloigné qui arrive pour un enterrement. En deux ans, j'avais reçu une seule lettre d'elle, une longue lettre. J'avais eu Vladimir plusieurs fois au bout du fil, il me semblait qu'il m'appelait en cachette. Il disait que tout allait bien et voilà le résultat, j'étais sous la pluie seul avec Jeanne et une valise.

Dans le métro, elle a sorti une minuscule bouteille de parfum de son sac, en a posé une goutte sur son poignet droit, qu'elle a frotté contre le gauche, machinalement.

J'avais oublié ce geste.

Ma poitrine s'est serrée, j'ai eu envie de l'embrasser, de la prendre contre moi, de la tenir.

Je l'ai juste regardée.

"Tu pourrais au moins venir un peu à la maison", elle a dit.

Je voulais échapper à une veillée funèbre, je savais qu'on allait parler de toi, qu'elle allait me raconter, et ainsi de suite.

"Je vais déposer ma valise à l'hôtel."

J'ai vu ses yeux s'emplir de larmes et briller, je n'avais pas la force de faire quoi que ce soit pour elle.

Jeanne m'a raconté qu'elle avait beaucoup d'amis qui s'adonnaient à un nouveau sport tout à fait extraordinaire, une passion qui pouvait t'amener à l'extase et au plus grand plaisir du monde, l'enfer est une ville qui ressemble beaucoup à Moscou, tu sais, elle m'a parlé de toi bien sûr et elle a pleuré, j'ai vu ses mains trembler, j'ai failli me mettre à chialer à mon tour et c'est là qu'elle m'a raconté cette histoire, ce qu'elle allait faire dans les jours qui viennent : elle va aller se suspendre, comme elle dit. C'est la nouvelle mode chez les jeunes en quête d'émotions fortes, se suspendre, ça veut dire qu'on te passe une pommade anesthésiante sur les épaules, qu'on te rentre trois crochets de métal dans la peau du dos et qu'on te soulève, on te suspend en l'air à un mètre cinquante du sol et tout ton poids repose sur ces hameçons qui t'étirent la peau, il paraît que cela saigne très peu, que la douleur est supportable et finit par provoquer une transe presque mystique : on a la sensation de perdre son corps paraît-il, de se replier dans ces trois points de douleur et plus rien ne pèse, plus rien ne pèse, et elle m'a regardé, Jeanne m'a regardé, ses yeux étaient si vides que j'aurais pu croire qu'elle avait replongé. Et puis j'ai pensé non, elle n'irait pas se suspendre à des crochets de boucher dans un sous-sol moscovite si elle avait replongé. On marchait vers le métro Taganskaïa et il s'était remis à pleuvoir. Tout était si triste, j'imaginais Jeanne torse nu suspendue en l'air dans la douleur, les lèvres entrouvertes, ses yeux toujours aussi vides et je ne pouvais m'empêcher de frissonner à mon tour, qu'est-ce que j'allais faire, moi, pour ma douleur, qu'est-ce que je pouvais bien faire, je n'allais pas aller me suspendre, ni trouver par hasard un moyen de fumer de l'héro ou de l'opium. Il me restait trois ou quatre heures à perdre avant d'aller te rejoindre à la gare de Yaroslav. Jeanne marchait à mes côtés ; j'étais troublé, je n'avais pas envie qu'elle soit là.

"Il faut que j'aille à la gare, j'ai dit.

— Tu ne veux pas qu'on aille chez moi ? On prendrait un thé, et on se mettrait au lit."

Je n'ai rien répondu. J'ai pensé que nous étions des poupées russes, nous trois. Emboîtées pour toujours les unes dans les autres, inutiles au-dehors, ouvertes en deux et vides. Elle s'est rapprochée de moi.

"Allez viens, c'est pas très loin."

Je savais que si j'acceptais je n'arriverais jamais à la gare à l'heure, que je m'endormirais dans ses bras, qu'elle s'endormirait dans mes bras, que nous remettrions l'une dans l'autre deux des trois poupées, la moyenne et la petite.

Si j'allais chez Jeanne tu partirais sans moi.

"Jeanne il faut que j'aille à la gare.

— J'ai la sensation que tu ne vas pas revenir non plus. Que tu vas te perdre, là-bas du côté de la Sibérie, toi aussi. Tant pis."

Elle a pris ma main et elle l'a serrée. J'ai fixé le grain de beauté noir sur son menton, je ne pouvais pas la regarder dans les yeux.

"Jeanne, il faut que je parte.

— C'est toi qui me tiens la main. Tu vas te faire beaucoup de mal pour rien. On serait mieux chez moi."

J'ai repensé au petit appartement de Jeanne, métro Frounzenskaïa, à côté du parc bien rangé où on aimait boire des bières en été. Je te jure que si tu avais été là on y serait allés séance tenante, on aurait bu et toi, tu nous aurais regardés boire en faux frère, comme d'habitude.

"Ça ne rime à rien ce voyage. Reste avec moi."

J'ai suivi du doigt les veines sur la main de Jeanne jusqu'à son poignet. J'ai refermé un des boutons de sa chemise, le deuxième, je crois ; on voyait son soutien-gorge noir et la naissance de son sein. Je n'arrivais pas à partir, elle non plus. Nous sommes restés sans rien dire quelques minutes, sous la pluie, sans vraiment nous regarder. Elle avait raison, c'est moi qui ne réussissais pas à lâcher sa main. Les phalanges qui me retenaient dans le monde. J'ai compris à quel point je voulais que Jeanne me console dans la nuit, que nous nous consolions dans la nuit ; on ne berce pas les enfants grandis.

Je l'ai embrassée sur le front, puis sur les yeux, on a tremblé. Il y a eu comme une explosion silencieuse, et je suis parti.

NIJNI NOVGOROD

Ce que tu peux me faire faire comme conneries Vladimir, j'imagine Jeanne maintenant suspendue à des crochets comme le Christ sur sa croix, en train de pleurer du sang, ou de fumer de l'héroïne, je ne sais pas ce que je préfère. Ce train est interminable, nous ne sommes qu'au début du trajet et déjà le bruit des roues me dégouline des oreilles comme l'huile sainte d'une icône.

C'est un peu triste de s'enfiler de la vodka seul comme ça, quelle heure peut-il bien être, c'était quoi ta phrase déjà, "j'ai laissé grande ouverte la porte de la Sibérie", comment disait-on ça en russe je ne me rappelle plus, il doit être près de onze heures du soir maintenant on doit approcher de Nijni, ex-Gorki, ville des sous-marins, de la Volga et de la Foire, nous sommes encore à des milliers de kilomètres de Novossibirsk et de la Sibérie, des milliers de kilomètres.

On voyage toujours avec des morts, je n'aurais pas dû laisser Jeanne, elle me manque maintenant terriblement. Moi qui hais les voyages me voilà servi, des heures et des heures devant moi, seul avec Vladimir qui ne parle pas, seul avec les souvenirs, l'alcool et la nostalgie, voilà tout ce qui reste, comme disait Tchekhov le médecin mort en buvant du champagne, seul avec des phrases, des vers, des souvenirs ; Jeanne avait peut-être raison, je vais me perdre au bout du monde, disparaître dans la nuit sibérienne, plonger dans le Pacifique, encore dix mille verstes, plus que Tchitchikov lui-même, dix mille verstes dans le coupé de ce *spalny wagon* à deux places, une pour moi et une pour un fantôme. Je te ramène à ton village, Vladimir, je te ramène chez toi, à deux cent vingt-trois kilomètres de Novossibirsk, deux mille huit cent quatorze de Moscou et cinq mille trois cent quarante de Paris soit une bonne centaine de jours de cheval, de troïka ou de traîneau en hiver. Allongé la tête sur deux oreillers je regarde défiler les bouleaux, des centaines de milliers d'ombres blanches, certains étêtés, d'autres fantômes, on serait mieux en train blindé, à découper des arbres à la mitrailleuse pour se faire la main comme Trotski qui passe deux ans dans son wagon à reprendre des villes aux Blancs, en avançant à deux à l'heure, obligé de reconstruire les voies tous les kilomètres. On raconte qu'il y avait de tout dans son train, une bibliothèque, une salle d'État-major tapissée de cartes et même une imprimerie pour fabriquer un journal révolutionnaire distribué à la population, et des soldats motorisés qui se lançaient dans des expéditions contre les troupes tsaristes éparpillées aux quatre coins de la Sainte Russie.

La guerre, partout.

Bien caché dans ce compartiment, on pourrait avoir l'impression d'y échapper. Tu te souviens Vlado quand Jeanne nous a présentés je t'appelais prince André, parce que tu me rappelais Bolkonski avec tes airs à la fois nobles et fragiles, sûr de toi et pourtant vacillant dans la violence et la drogue comme un saule, nous avons eu le temps de la Paix et celui de la Guerre, notre première bataille, Austerlitz, puis le repos avant que Moscou ne brûle devant nous, avant de brûler dans l'alcool et les stupéfiants comme ces minuscules cierges qu'il y a dans les églises russes, et l'épatante présence de Jeanne, Jeanne que nous avons écartée pour nos jeux virils, avant de l'écarteler entre nous, avant de nous battre en duel en bons nobles russes et de disparaître.

Nijni Novgorod.

Nijni Novgorod.

Je lève mon verre à la santé de Nijni Novgorod, à la plus grande Foire de ce côté du monde, où venaient en été les marchands de toute la Russie, du Caucase, de Bagdad, de Kitaï et de Cipango. J'ignore ce qu'on y trouvait à l'époque ; aujourd'hui je me souviens de la petite maison de Gorki, minuscule cabane de bois au poêle immense, où l'on voit les branches séchées avec lesquelles ses parents le battaient, les traîneaux pour l'hiver, les berceaux de ses frères, la chaise où brodait sa grand-mère. Etions-nous venus pour voir la ville de Gorki, la Volga, l'hôtel où dormit Alexandre Dumas ou la forteresse, kremlin rouge aux créneaux irréels, je ne sais plus.

Vladimir me faisait visiter la Russie comme on montre ses terres à un étranger, en prince, et à Nijni Novgorod, dans un grand, un immense hôtel moderne du centre-ville, nous buvions comme des cosaques la vodka de trois cents grammes en trois cents grammes, puisqu'en Russie cette eau-de-vie se vend au poids. C'était avant que Volodia n'abandonne presque totalement l'alcool. Je me souviens – je n'en ai jamais parlé à Jeanne, je me demande si lui l'a fait – qu'il m'avait entraîné dans une boîte à strip-tease attenante au bar de l'hôtel au nom évocateur de "Sexophon", un club de filles nues comme il en pullule en Russie, nous étions les seuls clients, installés dans des fauteuils de moleskine face à une scène où se trouvait juste une barre verticale, un instrument de caserne, et on avait l'impression qu'un pompier casqué allait descendre en glissant du premier étage pour boire un coup avec nous. La musique faisait vibrer nos verres, la première fille est arrivée, dans un déshabillé blanc, des dessous à perles, des talons aussi interminables que ses jambes interminables, elle a attrapé la barre en métal, s'est hissée en rythme presque jusqu'au plafond, a glissé la barre entre ses jambes et s'est laissée descendre, doucement, enroulée, lovée, en se frottant, en caressant le métal de ses seins, de ses cuisses. Parvenue au sol, elle a retiré son déshabillé d'un geste, elle avait une poitrine assez haut placée, plutôt petite, j'ai immédiatement pensé à Jeanne, je me souviens, et j'ai eu honte alors j'ai vidé mon verre. Vladimir a applaudi, la fille a fait un grand écart facial, les lèvres de son sexe dépassaient de son string, la musique rythmait ses mouvements de chenille sur le sol, puis d'un coup elle est remontée, après avoir arraché son slip qu'elle a lancé à Volodia, il l'a attrapé au vol, il n'était pas encore saoul le salaud, il a fait comme dans les films, il a feint de renifler le bout de tissu avant de vider son verre en rigolant, et ce n'était plus le prince André mais Pierre dans ses frasques pétersbourgeoises, on s'attendait à tout moment à le voir se lever pour se mettre à danser, ou attacher le chef de la police de Nijni au dos d'un ours pour lui faire traverser la Volga à la nage. La fille complètement nue à présent collait son sexe épilé contre la barre de métal, puis elle est remontée, nous a montré son cul, lentement, dans des mouvements d'avant en arrière, ainsi suspendue on aurait dit un singe glabre, malade, accroché à un arbre luisant de pluie, et soudain elle s'est à nouveau laissée glisser pour terminer au sol, dans une position féline, ou canine, à quatre pattes.

Le morceau était terminé.

La danseuse s'est relevée pour quitter la scène, entièrement nue, alors qu'une autre fille, sortie d'on ne sait où, prenait sa place sur la barre métallique. La première strip-teaseuse s'est mise à déambuler autour de nous. Sa peau maquillée, son sexe rasé, ses longs cheveux blonds lui donnaient un air inquiétant, un air de succube ou d'ange. Volodia lui a mis une main au cul, sonore, avec un air royal. La deuxième fille a achevé son numéro, je ne l'avais même pas regardée. Elle était brune, elle nous a tourné autour, seins plus gros, jambes d'athlète ; puis une troisième est arrivée, puis une quatrième, puis une cinquième, elles sortaient d'une loge minuscule à côté du bar, je me suis demandé combien il pouvait y en avoir, dix, vingt, trente, ou peut-être étaient-ce les mêmes qui se changeaient, je n'en sais rien. Nous vidions nos verres au même rythme, un par fille ; j'ai eu soudain une sensation d'une tristesse infinie, je ne sais pas pourquoi, peut-être parce que j'étais incapable de ressentir du désir pour elles, que j'aurais voulu être Volodia, un prince égrillard, capable de fesser gentiment les femmes nues, sans honte, sans regrets, de leur proposer de s'asseoir sur ses genoux, de les faire couiner en leur pinçant les seins alors qu'à moi elles m'inspiraient juste une immense mélancolie. Le prince André au bordel. Et dans notre amitié furieuse, dans cette traversée épique de la Russie d'est en ouest, sans Jeanne, qui ne voulait pas participer à nos agapes itinérantes, elle préférait rester métro Frounzenskaïa, chez elle. Chez nous, pendant les douze mois où nous avons habité tous les trois, dans notre amitié féroce d'amour échappé, dans la folie de ces douze mois jusqu'à ce que je décide de rentrer en France, parce qu'on ne trouvait plus autant d'héroïne et d'opium bon marché à Moscou, parce que la cohabitation devenait difficile et parce que Jeanne – au fond je n'en sais rien, on ignore toujours ce genre de choses – ne m'aimait plus. J'étais drogué, fatigué et abandonné ; Vladimir avait arrêté de boire, alors je suis parti.

A eux deux, en un an, ils avaient réussi à m'apprendre une douzaine de mots de russe, à compter, et même deux vers d'Essenine que Volodia répétait à tout bout de champ quand il était ivre, des vers qui disaient "Je ne suis jamais allé sur le Bosphore, tu ne m'y as jamais amené / Moi dans tes yeux j'ai vu la mer, un scintillant incendie bleu", ou quelque chose comme ça, je les ai répétés moi aussi des mois durant, tout comme le poème de Mandelstam que Jeanne me chuchotait à l'oreille quand nous étions défoncés, un vrai talisman sonore, un refuge, j'y pense maintenant alors que le train entre en gare, j'aimerais entendre la voix de Jeanne me murmurer à l'oreille "Tu n'es pas mort encore, tu n'es pas encore seul", Еще не умер ты, еще ты не один, et mon cœur bondit comme le wagon tressaute contre le quai de Nijni Novgorod.

PERM

J'ai dormi.

Je me suis endormi le verre à la main ou presque.

C'est le jour, on ne devrait pas tarder à arriver à Perm. Je suis à peine à la moitié du trajet. Encore la blancheur des bouleaux dans le soleil, les mares, les étangs, les rivières de la vie russe. Avant Vladimir, pour moi la Russie c'était Jeanne – un pays lointain, inconnu, où les cosaques du Don chargeaient sabre au clair, où les petits chevaux des Mongols paradaient autour de yourtes dorées. Jeanne voulait aller étudier à Moscou. Elle y partit donc, en m'abandonnant à Paris, je ne l'ai rejointe que des mois plus tard. Elle parlait russe, avait des amis russes ; je sais qu'elle a rencontré Vladimir sur la Volga, au cours d'une excursion en bateau au large de Kazan. Kazan capitale du Tatarstan doit être un peu en aval, pas très loin d'ici ; en train on ne voit rien, on traverse des fleuves, on parcourt des forêts ; c'est comme si on vous ponçait les yeux au paysage, au papier de verre du paysage pendant des heures et des heures, qu'est-ce qui m'a pris de partir seul, j'entends Jeanne tout le temps, la voix de Jeanne, viens chez moi on se ferait un thé et on se mettrait au lit, quel imbécile, on se soignerait, je soignerais Jeanne et elle me soignerait, nous nous serions pansés et accrochés doucement l'un à l'autre dans l'aube, on se tiendrait les épaules pour s'empêcher de plonger dans la douleur et les crochets, mais non, j'ai fait le choix de partir, de traverser la moitié de la Russie pour aller dans un village paumé voir je ne sais qui, une vieille grand-mère, une maison où on a grandi, une enfance ; Volodia n'avait jamais voulu me montrer son village natal, trop loin et trop paumé disait-il. J'imagine de petites habitations de bois sibériennes peintes en couleurs, entourées de jardins clos, posées au milieu de la plaine. Je me souviens que lorsque nous avions visité la maison de Gorki Vlado m'avait expliqué que chez lui cela ressemblait un peu à ça, des pièces minuscules, une remise, un poêle en faïence ; on avait peur du feu, plus d'un ivrogne avait brûlé vif dans sa baraque en oubliant de retirer les braises le soir, encore deux mille kilomètres de train et j'y serai, pour quoi faire, je n'en sais rien.

Qu'est-ce qu'on cherche dans les déplacements, que veut-on dans les voyages, rien ne me rendra jamais Vladimir, le prince Bolkonski a disparu depuis longtemps, il me racontait des histoires terrifiantes de Russie, des histoires atroces de déportation, d'emprisonnement, de guerre civile je m'en rappelle une, qu'il avait lue dans *Cavalerie rouge* d'Isaac Babel : un cavalier rouge arrive dans un village d'Ukraine et cherche un endroit où dormir, il se retrouve dans une chambre qu'il partage avec des réfugiés, un vieux

Juif et sa fille. Le cavalier décide de s'allonger à côté du vieillard qui dort déjà et, rompu de fatigue, s'enfonce immédiatement dans le sommeil. Au milieu de la nuit, il est réveillé par la jeune fille, vous avez eu un cauchemar, dit-elle, s'il vous plaît, est-ce que vous voulez bien arrêter de donner des coups de pied à mon père ? Surpris par la passivité du vieil homme toujours immobile le cavalier se retourne, retire la couverture et découvre une terrible blessure dans la poitrine du vieux Juif : il a été massacré la veille à coups de sabre par les Blancs ; le cavalier rouge a dormi aux côtés d'un cadavre que sa fille veillait. Horrifié il saute immédiatement dans ses bottes ; il saute dans ses bottes, puis sur son cheval, et repart vers la Révolution.

Le grand Christ rouge de la Révolution, il est encore
là ; on en voit les traces tout au long du chemin, pal-
pables, visibles ; les statues, les inscriptions aux fron-
tons des monuments, les étoiles rouges oubliées à
droite et à gauche. Jusqu'au souvenir des morts, des
morts d'Octobre, de la guerre civile, des purges, dans
les noms des rues, les plaques, les monuments gigantesques aux soldats de la Grande Guerre patriotique.
Difficile de ne pas penser à la cavalerie rouge, aux
trains blindés, au mythe et à sa contrepartie, les victimes, les oubliés, ceux qu'on a mis dans un convoi
jusqu'au fleuve Amour avant de les charger dans un
bateau à destination de Magadan, je me demande à
quoi ressemblaient leurs trains, une semaine de chemin de fer, une semaine de chemin de fer puis six
jours de bateau, six jours infernaux enfermés à fond
de cale au bord de l'asphyxie, on raconte des histoires
terrifiantes de ces transports, de ces cargos de la mort,
j'ai lu quelque part qu'un bâteau de plusieurs milliers
de détenus s'est encastré dans un iceberg au moment
du gel, fin octobre, et que l'équipage a abandonné les
prisonniers, les laissant mourir de faim et de froid au

milieu de la mer gelée, on a récupéré le navire et les corps six mois plus tard, il a fallu une escouade de trente détenus et une semaine de travail pour balancer tous ces cadavres glacés par-dessus bord, il fallait les séparer à la hache comme des poissons surgelés, un amas de milliers d'hommes qui s'étaient rapprochés en mourant pour se réchauffer. Parfois on allait au Goulag en camion, trois semaines de camion, trois semaines au moins de camion, voir la Léna, voir Iakoutsk au passage à travers une vitre presque opaque à cause de la poussière, rongé par les moustiques, dans la sueur de l'été sibérien, quand on n'était pas bloqué des jours et des jours durant par la boue, la boue qui suivait la pluie et où plus d'un camion s'est engouffré avec ses occupants trop épuisés pour chercher à en sortir. Fort heureusement en hiver les routes étaient impraticables, il fallait arriver dans les camps du Nord en remontant des fleuves gelés transformés en autoroutes, ou à bord d'un brise-glace, là-haut, près du détroit de Béring où plus d'un a dû rêver, l'espace d'une minute, de fuir à pieds sur la mer prise par le gel jusqu'en Alaska. Après tout, on raconte que les hommes des cavernes ou Dieu sait quels primitifs avaient suivi ce chemin, qu'ils passaient d'un continent à l'autre en hiver, en se nourrissant de phoques et de poissons pêchés au moyen d'un trou dans la glace, il paraît que l'on pêche encore comme ça dans les lacs sibériens, qui pourra jamais comprendre l'immensité vide de ces terres désolées, personne sans doute, à part ceux qui y ont été exilés, Varlam Chalamov l'artiste de la pelle ou Vassili Axionov l'enfant de Kazan qui rejoint sa mère en déportation, la révolution a tout broyé, des hommes des femmes des femmes des hommes même des enfants, la révolution, il en reste des morceaux en nous, débris d'un vieux rêve d'adolescent mal grandi qui n'a pas eu la chance de tenir un fusil pour défendre ses songes : moi on m'a plutôt mis une seringue dans la main au lieu d'un flingue ou d'une bombe, et j'aurais préféré arpenter la steppe sur de petits chevaux en criant "Cosaques, cosaques, allez-vous laisser détruire votre armée ?" comme dans *Tarass Boulba* immense roman de Gogol, le premier roman russe que j'ai lu, j'aurais préféré une épopée même gauchiste et tardive aux réduits estudiantins qui sentaient la crasse et le temps perdu, à Paris ou ailleurs, malgré l'épatante présence de Jeanne qui survolait tout cela d'un air distrait. Quand je l'ai rencontrée à Paris nous avions dix-huit ans à peine, je débarquais de ma province et j'avais l'impression de sortir de prison, de rentrer du Goulag, de Magadan ou d'ailleurs et de retrouver une liberté qu'en réalité je n'avais jamais connue, à part dans les livres, dans les livres qui sont bien plus dangereux pour un adolescent que les armes, puisqu'ils avaient creusé en moi des désirs impossibles à combler, Kerouac, Cendrars ou Conrad me donnaient envie d'un infini départ, d'amitiés à la vie à la mort au fil de la route et de substances interdites pour nous y amener, pour partager ces instants extraordinaires sur le chemin, pour brûler dans le monde, nous n'avions plus de révolution, il nous restait l'illusion du voyage, de l'écriture et de la drogue.

Je me souviens de la première fois où nous avions fumé de l'opium avec Jeanne, quelques mois avant son premier séjour en Russie et sa rencontre avec Vladimir sur la Volga majestueuse, je me souviens de la petite boule de pâte noire comme si c'était hier, cette sève bouillait en crépitant un peu et répandait une épaisse fumée à l'odeur d'encens qui laissait un goût un peu amer dans la bouche avant de vous brouiller les yeux et de vous faire sourire, je me rappelle nous étions très émus et maladroits, l'opium signifiait toucher un mythe du doigt, avec les poumons plutôt, un mythe, nous étions aussi émus et maladroits que lorsque nous faisions l'amour pour les premières fois, cet acte étrange toujours neuf toujours recommencé où chaque corps est si différent, chaque corps est si différent, avant que les substances chimiques ne nous volent notre désir, avant que Jeanne ne disparaisse dans les brumes du Nord, dans les bras de Vladimir, dans la passion de l'étude, dans la langue et la littérature russes. Le train a dépassé Perm, la *provodnitsa* est venue jeter un coup d'œil inquiet dans mon coupé, elle a un air de chef scout, de soldat, d'officier d'une armée en déroute, les voyageurs sont une armée oisive, dans une perpétuelle défaite, et encore, dans ce compartiment de première que j'occupe seul on n'est pas les plus ivrognes ni les plus puants, hein Vladimir, on sait se tenir, nous, on a l'ivresse discrète, contrairement aux appelés russes du wagon d'à côté qui passent leur temps à boire des bières, ils s'abrutissent pour échapper au voyage, ils boivent des Baltika à huit degrés dès l'aube, dès qu'ils se réveillent, et ce n'est pas Nijni-Novgorod ou Perm ou Ekaterinbourg qui vont les distraire de cette étude systématique, ils sont marins, ils vont rejoindre la flotte du Pacifique à Vladivostok après une cuite roulante d'une semaine, on les voit se presser sur le quai à chaque arrêt pour refaire leurs provisions de bibine, chancelants, en short malgré le froid déjà polaire de l'automne, je pense aux détenus du Goulag Perm 36 un peu plus au nord, à une centaine de kilomètres au nord, il paraît qu'il n'y a plus un arbre à des verstes à la ronde car tout a été coupé dans les ateliers de menuiserie du camp, pour réparer les baraquements ou pour fabriquer des cageots et des allumettes, du matin au soir, cageots et allumettes qu'on utilisait ensuite pour se chauffer car rien n'était prévu pour les vendre ou les distribuer, les zeks s'épuisaient à lutter contre des troncs gelés avec des tronçonneuses, puis débitaient les bouleaux à la hache, enfin les passaient dans d'affreuses machines où souvent, à cause de la fatigue, ils laissaient un doigt ou une main, ce qui n'émouvait pas outre mesure les gardiens blasés. Les derniers ennemis de l'Union soviétique ont quitté le camp en 1988, les derniers détenus fabriquaient manuellement un genre de prise multiple, de raccord électrique qu'on trouve encore dans toute la Russie, il doit y en avoir dans ce train, c'est comme si leurs noms étaient là, partout, dès qu'on allume la lumière ou met en marche un samovar, le nom des morts de la concentration soviétique. Aujourd'hui Perm 36 est devenu un musée de la détention, le musée du Goulag, le seul de toutes les Russies, qui n'est bien sûr pas sponsorisé par le gouvernement, mais par un groupe d'anciens détenus et d'historiens soutenus par des fondations privées pour la plupart étrangères : je suppose qu'il y a des touristes, des groupes avides des traces de la souffrance de générations de pauvres types, 1988 c'est tout près, c'était il y a bien peu de temps, les touristes doivent être contents, on peut renifler la sueur encore récente des internés, leur sang frais, c'est bien mieux qu'en Pologne en Allemagne en Autriche où le temps a doucement poli les baraquements, a éloigné les visages, les morts, la douleur, la distance est grande, alors qu'en Russie… Voilà quelque chose qui t'énervait, Vladimir, qu'on te rappelle le Goulag, qu'on mentionne cet épisode honteux, comme si seul Dostoïevski avait le droit de faire ce voyage, le grand voyage, il est passé par ici d'ailleurs pour se rendre à la prison d'Omsk, c'est toi qui m'as fait lire *Les Souvenirs de la maison des morts*, tu disais que le titre ne convenait pas du tout, ce n'étaient pas des souvenirs, mais des notes, des carnets, le titre russe était en réalité "Notes sur la maison morte", et j'avais beau te dire qu'en français "Souvenirs de la maison des morts" était un titre proprement sublime rien n'y faisait, et Jeanne abondait dans ton sens, comme toujours, elle abondait dans ton sens et ça finissait par nous faire rire, alors on buvait un coup à la santé fragile de Dostoïevski, à la littérature et aux déportés, et on s'embrassait tous les trois en rigolant. Ça c'était quand tu buvais encore, mon vieux, et s'il n'était pas dix heures du matin je m'offrirais un verre en ton honneur, mais j'ai plutôt envie d'un café, je vais aller jusqu'au samovar du bout du couloir pour mettre de l'eau chaude sur les grains lyophilisés que j'ai acquis sur le quai avant de partir, je vais affronter le regard de garde-chiourme de la *provodnitsa* toujours persuadée que je cherche à commettre une mauvaise action car j'observe avec délice l'incroyable schéma technique accroché à côté du samovar, un éclaté d'une précision extraordinaire, un plan magnifique où toutes les pièces qui composent l'engin pourtant simple sont détaillées, leur nom en cyrillique, leur fonction, ça donne envie de démonter le bazar, de démonter le bazar pour vérifier la précision du schéma ; il y a un schéma technique du même genre à côté de tous les dispositifs du train, de la boîte à fusibles au lavabo, un des souvenirs de la précision soviétique sans doute, du systématisme, de la passion socialiste pour la technique et le progrès, et ces dessins sont beaux comme un poème de Maïakovski, un poème visuel à la gloire de l'homme nouveau, l'homme révolutionné fabriqué par les schémas et les plans de la beauté révolutionnaire.

Tu sais Vladimir j'ignorais tout de la Russie et des Russes, et malgré moi, à cause de toi ou grâce à toi c'est devenu un des pays que je connais le mieux, dont j'ai le plus arpenté les espaces désertés, à tes côtés, fréquenté les livres, les bars, les marchés, les interminables avenues de Moscou la terrifiante, et maintenant je vais me perdre en Sibérie dans ton village natal, mais qu'est-ce qui t'a pris, Volodia, quelle maladie de l'âme te rongeait sous ton éternelle bonne humeur, la dernière fois que je t'ai eu au téléphone c'est toi qui me remontais le moral, toi qui me disais à propos de ce mauvais roman dont personne n'a voulu et que j'ai balancé avant de partir dans une bouche d'égout, c'est toi qui me disais "mais c'est très bon, ça, très bon, tu es sur la voie, tu vas voir, tu auras des coups de fil, c'est sûr", vieux salaud, je ne sais pas comment tu faisais pour savoir aussi bien le français et l'anglais, tu l'as lu, mon triste premier livre, et puis il y a eu l'appel de Jeanne dans la nuit, et me voilà en train de compter les bouleaux entre Perm et Ekaterinbourg, bientôt l'Oural, bientôt l'Oural et puis l'Asie. Tu sais il y a longtemps que je ne fais plus rien lire à Jeanne, depuis Paris, depuis mes poèmes pour elle. Elle ne le souhaite plus. A part dans sa lettre, il y a quelques mois, où elle m'a demandé un numéro de la revue dont je t'avais parlé, peut-être parce qu'elle était jalouse de toi, je n'en sais rien. C'est si compliqué, tout ça, Vlado, si compliqué, j'aurais tellement aimé que tu viennes à Paris, si seulement on avait eu du fric, tu serais venu à Paris et tu serais encore en vie. Ce café est vraiment infect, mais il est chaud, fort, et je n'ai rien d'autre à faire, rien d'autre à faire, un gobelet en plastique à la main et toute la Russie sous les yeux, dans le cocon bringuebalant du Baïkal Express qui m'emmène vers Novossibirsk. Le café me remet dans les narines l'odeur de l'opium, j'ai une demi-tablette de Rohypnol dans ma valise, mais je les garde en cas de coup dur, maintenant je préfère me laisser aller à la drogue douce du souvenir, bercé par les errances de ce train qui danse comme un ours sur ses traverses, des arbres, des arbres de haute futaie, des arbres à abattre, *holzfallen, holzfallen*, comme criait ce personnage de Thomas Bernhard dans son fauteuil à oreilles, en maugréant contre les acteurs et la bonne société de Vienne, jamais je n'écrirai comme ça, Vlado, tu sais, jamais jamais, cette langue inouïe, répétitive jusqu'à l'hypnose, méchante, incantatoire, d'une méchanceté, d'une méchanceté hallucinée, j'avais vingt ans quand j'ai lu ce livre Vlad, vingt ans et j'ai été pris d'une énergie extraordinaire, d'une énergie fulgurante qui a explosé dans une étoile de tristesse, parce que j'ai su que je n'arriverais jamais à écrire comme cela, je n'étais pas assez fou, ou pas assez ivre, ou pas assez drogué, alors j'ai cherché dans tout cela, dans la folie, dans l'alcool, dans les stupéfiants, plus tard dans la Russie qui est une drogue et un alcool j'ai cherché la violence qui manquait à mes mots Vlad, dans notre amitié démesurée, dans mes sentiments pour Jeanne, dans la passion pour Jeanne qui s'échappait dans tes bras, dans la belle douleur que signifiait la voir dans tes bras, dans mon absence apparente de jalousie, dans cette consolation joyeuse que ce soit toi dans ses bras, je savais qu'elle faisait ce que je ne pouvais pas faire, par éducation, par volonté, par destin, par goût tout simplement, elle occupait la place que je ne pouvais pas prendre et je vous regardais sans vous voir comme Thomas Bernhard dans son fauteuil à oreilles, et c'était bien comme ça.

Nous n'en avons jamais parlé, tu t'en rends compte ? Il faut que nous soyons dans un train qui vogue vers la Sibérie pour que cela revienne, les premiers temps, Moscou, nous haïr au départ comme deux chiens qui vont devoir partager un territoire et puis, comme deux chiens, arpenter la ville l'un derrière l'autre, boire et fumer et chercher des Azéris puis des Tadjiks troubles qui nous vendaient de l'opium bien noir, puis de l'héroïne marronnasse au gré des conditions géopolitiques à la frontière afghane, au départ tout venait de Turquie *via* l'Arménie ou l'Azerbaïdjan, et d'un coup, les Tadjiks s'y sont mis et c'est comme un grand fleuve blanc qui se déverse sur Moscou, une grande rivière de dope à l'échelle des fleuves sibériens, cette héroïne est si pure et si bon marché que beaucoup tombent sur le chemin, victimes de l'extase, de la surprise, du pouvoir d'achat : des gamins, des enseignants, des pauvres, des riches, des ivrognes lassés de l'alcool, des étudiants désœuvrés, on voyait tous ces paumés à Moscou la ville des mille clochers et des mille et trois tours, dans un passage souterrain pas très loin de la Loubianka siège du KGB devenu FSB, là où officiaient Béria et Lamadzé dans le roman d'Axionov, à proximité de leur bureau nimbé de ténèbres on trouve des fantômes errants à la recherche d'une seringue, car à Moscou il est bien plus difficile de se procurer une seringue qu'un gramme de cheval blême, bien plus, ici les drogués sont des criminels qu'on envoie goûter aux joies d'une tôle de province : si ma *provodnitsa* aux allures de cheftaine m'entendait elle se signerait et me dénoncerait illico, sans hésiter, tant les stupéfiants sont un crime terrible, arrivé avec le capitalisme, un des quatre cavaliers de l'Apocalypse libérale, alors que les Soviétiques avaient la vodka, la sainte vodka transparente, l'eau-de-vie, l'eau de la vie et de l'oubli, comment dit-on oublier en russe, aucune idée, je sais juste les vers de Mandelstam et ceux d'Essenine le pendu de Pétersbourg, j'irais bien sur le Bosphore, là, dans tes yeux j'ai vu la mer, un magnifique incendie bleu.

J'irais bien sur le Bosphore après une croisière sur la Volga, descendre le fleuve jusqu'à Astrakhan au nord de la mer Noire, puis me laisser glisser doucement vers Istanbul, on verrait Kazan et Stalingrad, deux batailles russes ; on verrait l'île où s'installa Ivan le Terrible avant de prendre Kazan et de mettre fin au khanat héritier de la Horde d'or, terminée la domination mongole en Russie, place à l'encens, aux moines et aux popes barbus. Comment s'appelle cette île à quelques verstes en aval de Kazan où Ivan installe son armée et ses prêtres, où il construit une ville en deux mois avant de se lancer à l'assaut de la cité musulmane, impossible de m'en souvenir, impossible, encore un nom russe qui ressemble à d'autres noms russes, que se serait-il produit si Ivan, après avoir été repoussé sous les remparts de Kazan, ne s'était pas entêté et n'avait pas décidé de passer l'hiver sur cet îlot au milieu de la Volga, Ivan s'est gelé les couilles dans son manteau de zibeline ou de martre pendant quatre mois, j'aimerais faire la même chose, j'aimerais descendre de ce train et laisser tranquillement passer l'hiver, à Kazan pourquoi pas, sur cette île dont j'ai oublié le nom, regarder doucement la Volga geler à moitié, des blocs de glace venus du nord descendre paisiblement le fleuve, comme on regarde la mer – on serait bien tous les deux, Vladimir, avec des chapkas noires sur le crâne, à observer la lente dérive des glaçons, à l'endroit même où tu as rencontré Jeanne, qu'est-ce que vous pouviez bien faire sur un bateau descendant la Volga, j'ai oublié, c'était en été, Jeanne était partie en vacances, sans moi, surtout pour essayer de s'inscrire à l'université à Moscou, même si elle ne me l'avait pas dit. Elle est revenue en me racontant qu'elle avait rencontré des gens incroyables, dont toi, et j'ai dû commencer à te jalouser, Russe, tu étais russe, tout ce qu'elle avait toujours voulu, un cosaque versé dans la littérature, polyglotte et cultivé, tout ce que je n'étais pas. Jeanne me reprochait sans me le dire de m'enfoncer dans l'alcool et la drogue, je disais à qui voulait l'entendre que j'allais devenir écrivain, je relisais toujours les mêmes livres, Kerouac, Cendrars et Carver, j'écrivais des poèmes d'amour en attendant l'inspiration, allongé dans le studio que nous partagions dans un des endroits les plus sinistres du Nord du 18e, près de la porte de Clignancourt – au moins il n'y avait pas beaucoup à marcher pour se ravitailler en substances diverses et nous ne payions plus de loyer depuis que l'immeuble avait été déclaré insalubre par la municipalité, on attendait que le propriétaire effectue des travaux obligatoires qu'il n'a jamais faits, je suis repassé devant il y a peu, les fenêtres étaient condamnées avec des briques et il y avait un permis de démolir affiché pour tout le pâté de maisons, les choses passent, c'était il y a juste quatre ans et j'ai l'impression d'avoir vécu mille vies depuis, d'avoir fait courir tous les trains derrière moi jusqu'au bout de la terre.

Cette année-là Jeanne m'a annoncé qu'elle avait obtenu une bourse d'échange, qu'elle avait réussi à s'inscrire à l'université de Moscou et qu'elle partait début octobre, pour un an au moins. J'ai fait le malin, je n'ai rien dit, je me souviens j'ai répondu super, c'est une chance, et je le pensais en effet, c'était une chance pour elle. Tu vas m'oublier, j'ai dit en rigolant et elle a souri, elle m'a répondu pas tout de suite, t'inquiète pas, ça passe vite un an.

Jeanne est toujours à Moscou, en train de se suspendre à des crochets de boucher dans un club branché pour donner une raison de plus à ses larmes, pour rendre plus physique sa douleur, trois ans plus tard, c'est vite dit. Une vie plus tard, une vie plus tard me voilà dans ce train qui se traîne maintenant avant d'affronter l'Oural, toujours allongé la tête contre la cloison, les yeux vers la vitre, et au-delà, il n'y a rien, rien, l'immensité russe, l'immensité asiatique de ces plateaux, de ces montagnes désolées où on a du mal à imaginer de la vie, entre ces mélèzes, ces bouleaux, cette taïga et le permafrost, cet incroyable sol perpétuellement gelé où dorment toujours les mammouths et les corps oubliés des déportés. *Tu n'es pas mort encore, tu n'es pas encore seul*, je pense à Jeanne et à Mandelstam, pauvre Mandelstam mort d'épuisement sur le chemin de la Kolyma, mort en arrivant à Vladivostok avant d'être chargé sur un de ces horribles transports en direction du nord, mort de faim et de froid à l'arrivée de son wagon de marchandises bondé, son corps est quelque part dans une fosse commune au bord du Pacifique, j'espère qu'il a au moins la vue sur la mer mais j'en doute, j'en doute, il avait déjà souffert cinq ans d'exil à Cherbyn dans l'Oural puis à Voronej, avant d'être une nouvelle fois rattrapé par la colère du petit père des peuples, celui qu'il appelait le "montagnard du Kremlin", le petit Géorgien mégalomane et vindicatif ne l'oublia pas, n'oublia jamais les vers peu amènes du poète juif soupçonné de cosmopolitisme, lui qui avait étudié le français à Paris et en Allemagne, qui savait des langues étrangères. C'est une des merveilles de ce pays, d'ailleurs, encore aujourd'hui si peu de Russes savent l'anglais ou le français ou quoi que ce soit d'autre que la langue de Pouchkine, certains qu'ils sont et resteront le centre du monde, comme à la fin d'*Alexandre Nevski* le film d'Eisenstein où l'on voit Nevski debout, fixe face à la caméra, après la déroute des chevaliers teutoniques : Кто к нам с мечом войдёт, от меча и погибнет ! На том стоит и стоять будет Русская Земля !, ainsi tient et tiendra toujours la terre des Russes, et elle a tenu, contre les Mongols, les Teutons, les Polonais, contre Napoléon, contre Hitler, entre les guerres, les révolutions, les tornades capitalistes, les guerres coloniales elle tient, elle reste intacte sous son manteau blanc de neige, elle ne brûle pas entièrement dans la chaleur de l'été, elle se méfie encore des étrangers comme elle se méfie d'elle-même, cherchant toujours dans l'extérieur la confirmation de sa grandeur : ce que demande toujours un Russe à un étranger, c'est ce qu'il pense de son pays, l'image qu'il peut en avoir ; il attend les compliments, les éloges, les commentaires, avide de ce reflet de soi dans l'autre. Lors de nos escapades en province avec Vladimir, dès que nous rencontrions dans un bar ou une bibliothèque quelqu'un qui apprenait que j'étais français, la première question qu'il faisait traduire à Vlad était toujours la même, "Et alors, qu'est-ce que vous pensez de la Russie ?" à Kazan, Samara, Tver ou Smolensk, c'étaient toujours les mêmes inquiétudes, et je répondais toujours "quel grand pays", en laissant à Vladimir le soin de traduire le double sens, la Sainte Russie est un grand pays *indeed*, *kanietchna*, même rogné à ses frontières d'une partie de ses colonies, et il n'est pas douteux que petit à petit, au fil du temps, les anciennes provinces perdues reviendront, pacifiquement ou non, dans le giron de l'Empire : l'Asie centrale, l'Ukraine, la Biélorussie et même la Géorgie reviendront, par la guerre ou par une union sacrée, une longue embrassade de l'ours du Nord, on ne résiste pas au plus grand pays du monde, un pays où l'on peut parcourir 9000 kilomètres sans bouger le cul de son compartiment cahotant, bichonné soviétiquement par une *provodnitsa* qui, où qu'elle se trouve, vit toujours à l'heure de Moscou.

Mathias,

Excuse-moi de ne pas t'avoir écrit plus tôt, ça ne veut pas dire que je n'ai pas pensé à toi, bien au contraire. Je n'avais juste pas grand-chose à raconter. Ici l'hiver est arrivé d'un coup, il est bien là, la Moskova est déjà gelée. Je vais patiner dans le parc de temps en temps, seule, et du coup tu me manques. Tu te souviens de la patinoire de la place Rouge ?

J'ai su par Vladimir que tu avais une première nouvelle publiée dans une revue, tu dois être très heureux. Peut-être pourrais-tu m'en envoyer un exemplaire ?

Souvent j'imagine Paris, les vitrines de Noël, les lumières, les cafés, et je suis un peu nostalgique.

Il y a trois mois que je n'ai rien pris, tu sais, pas même des médicaments. C'est parfois un peu dur, surtout le soir, quand vient la nuit, si Volodia n'est pas là. Alors je sors faire un tour dans le froid, et ça passe. Je vais tenir, je crois. Et toi ? Tu en es où ?

J'ai trouvé un boulot comme ouvreuse, ça ne rapporte pas beaucoup, mais je suis au théâtre trois soirs par semaine. Moscou est toujours horrible et belle à la fois. Je continue les cours, saleté de russe, j'ai l'impression que jamais je ne finirai par vraiment savoir cette langue. J'ai eu tout un séminaire sur Tchekhov, j'ai trouvé une histoire qui t'aurait beaucoup plu, celle d'un inconscient qui vole les boulons d'une locomotive et s'en sert comme plombs pour pêcher.

Vladimir ne va pas très bien, je crois que tu lui manques beaucoup. Il a de gros coups de cafard pendant lesquels il peut passer une semaine sans rentrer à la maison et quand il revient, il s'effondre et dort trois jours de suite. Je ne suis pas vraiment inquiète, mais quand même, ce n'est pas ce qu'on fait de plus agréable comme compagnie.

Mais je ne t'écris pas pour te parler de lui, je sais que tu l'as assez souvent au téléphone. Je voulais juste te dire que je pense à toi, que j'essaye d'imaginer ta vie à Paris. Je regrette de t'avoir poussé à partir. C'est égoïste, mais j'ai envie de t'avoir près de moi et de te tenir, de t'embrasser, que tu me caresses, que tu me lises des histoires comme avant, la nuit. Je comprends que tu ne donnes pas de nouvelles. Je te jure que si j'avais de l'argent je viendrais te voir tout de suite.

Souvent je me remémore la nuit de ton départ, je nous revois dans la pénombre, nous embrasser, nous toucher des heures durant sans vraiment faire l'amour, comme si nous voulions engranger de la tendresse pour le long hiver de la séparation. Je me souviens de tes lèvres sur les miennes, de tes mains sur ma peau,

50

de tes doigts caressant mes cuisses et de ma tris-
tesse quand tu es parti. Notre silence sur le quai de
la gare, tes yeux au moment du départ. Tu m'as souf-
flé un baiser à travers la vitre, j'ai failli pleurer.

Bon j'arrête là cette lettre parce qu'elle est trop
triste.

Fais bien attention à toi,
Jeanne.

SAINT-PÉTERSBOURG

Je sais que tu te souviens de Pétersbourg, Vladimir, que tu t'en souviens comme Jeanne s'en souvient, comme je me la rappelle parfaitement, la ville de Pierre le Grand à l'embouchure de la Néva qui me paraissait le Grand Nord, c'était fin décembre, je venais d'arriver en Russie. A Moscou, Jeanne nous avait présentés et je te regardais avec méfiance, comme tu me regardais avec méfiance, un très bon ami, elle avait dit, Vladimir, on l'appelle Volodia, on s'est serré la main, sans savoir ce qui se scellait dans ce salut. Volodia est un grand spécialiste de littérature, a dit Jeanne, ce qui m'a encore plus intimidé. Il est en doctorat avec moi, elle a ajouté. Tu me souriais avec une pointe d'ironie, du moins c'est ce que je croyais. Je découvrais la chair rouge de Moscou, le petit appartement de Jeanne, au bord du parc tout boueux en cette fin d'automne; il ne faisait pas si froid, mais il neigeait, et le grésil couvrait la ville d'un linceul de crasse. Je m'accrochais au bras de Jeanne comme un enfant effrayé par la bruyante immensité de la ville, de ces avenues transformées en autoroutes que les piétons humiliés doivent traverser en sous-sol, de ces alignements interminables d'immeubles qui me paraissaient identiques, de petites portes sous leurs porches de béton, des centaines de petites portes et de porches en béton qui protégeaient une cage d'escalier où clignotait toujours un néon malade ou pudique, hésitant à illuminer réellement ce que ces recoins cachaient pour moi de mélancolie, dans l'odeur de chou qui devait flotter là depuis l'hiver dernier – tout cela s'opposait tellement au centre étincelant, autour de l'Arbat aux belles boutiques, aux anciens supermarchés soviétiques transformés en une version encore plus luxueuse des Galeries Lafayette ou du Bon Marché, devant lesquels rôdaient d'immenses 4x4 noirs aux vitres teintées d'où descendaient, glissaient, plutôt, de gigantesques blondes en fourrures, haut perchées sur des talons si fins qu'on croyait à chaque instant qu'ils allaient percer le macadam et s'enfoncer, s'enfoncer dans les profondeurs de la ville : mais la ville ne disait rien, elle ne se plaignait pas d'être ainsi criblée d'épingles comme une poupée vaudou, bien au contraire, cette capitale rêvait d'être un égoutier, pour pouvoir jeter un coup d'œil, depuis les sous-sols, sous les jupes si courtes de ces tortionnaires du pavé et du désir, qui allaient claquer des milliers de roubles en dentelles importées au *Goum* croustillé d'or dont les guirlandes brillaient bien plus que le Kremlin, bien plus que Saint-Basile, bien plus que le bunker sombre du mausolée de Lénine, et son illustre occupant ne devait pas s'en plaindre, non, et s'offrir de temps en temps une érection de cire au passage de ces bataillons de jambes noires et soyeuses qui traversaient la place et le changeaient des bruits de bottes de l'ancien temps. La Belle de Moscou avait retrouvé des bas, Cyd Charisse s'était teinte en blonde et n'avait que mépris pour Fred Astaire, elle paradait plutôt au bras de Russes élégants qui avaient tous l'air d'être richissimes. Notre quartier était bien différent, coincé entre un immense gymnase et l'autoroute du troisième cercle, Третье кольцо, car à Moscou comme chez Dante, il y a des cercles, des anneaux, des ceintures de voitures immobiles, une coulée de lave de bagnoles dont les feux arrière fluent inlassablement dans le soir qui tombe. Dans mon souvenir chez Dante le troisième cercle de l'Enfer est réservé aux gourmands indécrottables, et ils auraient été bien châtiés chez nous, ces gloutons, hein Vladimir, tu te souviens, on ne mangeait rien ou presque, des poissons en boîte appelés Sprats avec des crackers et encore, les jours de bombance. Une fois par semaine plus ou moins on allait dans un fast-food russe extraordinaire appelé *Mou-Mou* où l'on avalait des soupes de betterave ou des salades de chou avec délectation. Le décor était façon isba, tables et lourdes chaises en bois, le système était celui de la cantine ou de la cafétéria de supermarché, chacun son plateau en plastique ; on avançait progressivement devant les plats, et il nous arrivait de faire plusieurs fois le tour, à la surprise de la caissière qui observait sans comprendre nos plateaux vides, alors on reprenait la file au début, défoncés que nous étions – absolument pas affamés on était surtout là par jeu et au bout du troisième ou du quatrième tour, quand nous finissions par remarquer, à travers la drogue, les regards de plus en plus noirs des employés, on prenait qui un bortsch, qui une salade Olivier, qui des champignons au gratin, pour quelques roubles, le tout accompagné de jus d'airelle, dont je raffolais pour la couleur, d'un rouge puissant, et le nom russe, *morse*, une bestiole sans jambes rampant sur la glace avec deux défenses et des moustaches, une bête qui rappelait les Beatles, et surtout Ringo Starr, dont l'animal banquisard avait un peu les bacchantes. L'enseigne du *Mou-Mou* était noire et blanche, imitant la peau de vache ; j'imaginais que *Mou-Mou* signifiait Meuh-Meuh, passant d'un animal à l'autre, du morse au bovin, le tout étant extraordinairement pop, entre les Beatles et Warhol, ce qui nous faisait bien marrer, dans notre nuage stupéfié, on explosait de rire en imitant les vaches quand on avait faim, on chantait *I am the walrus, kukukechoo*, et on allait au *Mou-Mou* devant le gymnase au coin du métro : ça me semble ridicule aujourd'hui, ça me remplit presque de honte. Que tu puisses connaître les Beatles me paraissait extraordinaire, et tu m'as répondu simplement : remarque bien, aucun de nous n'était même *né* quand les Beatles se sont séparés. Et Jeanne a bien failli ne pas naître avant l'assassinat de Lennon, j'ai ajouté en rigolant. Jeanne n'aimait pas qu'on lui rappelle qu'elle était la plus jeune, elle m'a fait les gros yeux, ça t'a fait marrer. Il y avait une sauvagerie affamée dans Moscou, pourtant le système soviétique n'était pas mort d'hier, la Fédération de Russie entrait dans son adolescence, c'est aujourd'hui une jeune femme accomplie, revenue de tout, même de la guerre.

A Moscou la première semaine, je n'osais presque pas sortir seul, tu te souviens ? Le métro était une catacombe aux escalators interminables ornés de flambeaux, si profonde, si profonde qu'on avait peu de chances d'en ressortir jamais, ou alors transformé en héros de l'Union soviétique, en mineur de fond ou en ouvrier métallurgiste dont les portraits glorieux ornaient les couloirs ; les fresques de cette crypte de la modernité montraient le Christ Pantocrator casqué, une pioche à la main ; au début, les indications en cyrillique étaient pour moi aussi claires que des caractères cunéiformes et les voix, les pas de la foule, les frottements des chaussures, les bruissements des étoffes, les sons encore plus souterrains qui sortaient des haut-parleurs pour annoncer les stations, les grincements des longues bêtes de métal rampant dans les tunnels et soufflant de tous leurs freins me versaient l'angoisse dans l'oreille comme de l'huile bouillante. Je me rappelle la première fois où j'ai été obligé d'y descendre seul, pour vous rejoindre quelque part, Jeanne et toi : emporté dans la masse liquide des Moscovites je tenais la rampe de l'escalator en regardant l'abîme, terrifié et hagard, et un ruisseau de gens pressés s'écoulait sur ma gauche, cascade d'anoraks et de bonnets, Стойте справа, Проходите слева, je ne me rappelle plus ce que j'avais pris, quel alcool ou quelle drogue, mais je suais doucement les yeux fixés sur un premier escalier mécanique, puis un deuxième, comme si cette descente ne devait jamais s'arrêter, comme si nous devions passer le reste de l'existence condamnés à aller vers le bas, en compagnie des autres habitants de la Caverne, avec pour seule consigne Стойте справа, Проходите слева, tenez votre droite ou avancez à gauche, jusqu'à la fin des temps, et je pensais *Hell is a city much like London / there are all sorts of people undone / and there's little or no fun done*, les vers de Shelley tournaient dans mon âme empêtrée par je ne sais quelle substance et, enfin parvenu sur le quai, il me fallait choisir une direction, un côté, un train : les caractères cyrilliques que je m'étais efforcé de mémoriser s'étaient évanouis, avaient disparu, au profit de Стойте справа, Проходите слева qui dansait devant mes yeux, j'étais désemparé au milieu des fantômes, où aller, on me bousculait si je restais devant le panneau indicateur à m'en déciller les yeux, je gênais, impossible de déchiffrer quoi que ce soit le nez en l'air devant les indications en lettres bleues illisibles. J'avais une chance sur deux, c'est beaucoup, j'ai pensé, une chance sur deux, tout le monde parierait au loto si on y avait une chance sur deux, alors je suis monté dans le train de gauche qui venait de s'arrêter contre le quai, j'ai joué des coudes pour me faufiler jusqu'au fond de la voiture, tout près du plan inutile, trop angoissé, trop ivre ou Dieu sait quoi, je comptais les stations sur mes doigts dans la multitude, je comptais les stations sur mes doigts en me disant : ces crétins de drogués n'ont même pas de portable, toi tu n'en avais pas par idéologie et Jeanne par négligence, parce qu'elle avait un fixe soviétique qu'elle partageait avec la voisine et que de toute façon elle n'appelait personne, et je t'assure que je me suis vu faisant le tour de Moscou sur la ligne circulaire des jours durant, jusqu'à ce qu'on me retrouve mort et desséché dans mon caftan vingt ans plus tard, la capuche sur les yeux, toujours maintenu droit debout par la foule qui ne décroît jamais, car il n'y a pas de marées dans le métro de Moscou, juste le ressac. J'ignore comment je suis descendu à la bonne station ; peut-être mes yeux avaient-ils enregistré sans que je m'en souvienne précisément la forme des lettres, qui sait, toujours est-il que je suis descendu, j'ai repris les escaliers mécaniques monumentaux dans l'autre sens, vers la lumière, et je vous ai retrouvés, qui m'attendiez bien sagement à la sortie. Finalement les villes ne nous mangent pas. Elles ne nous avalent pas dans leurs entrailles, comme Jonas, ne nous font pas disparaître dans la pénombre d'interminables réseaux souterrains, elles nous transforment, ce sont elles qui nous habitent et pas l'inverse ; elles modifient notre démarche, rythment notre pas, altèrent notre élocution, nos habitudes les plus intimes. On ne doit pouvoir être vraiment soi qu'à la campagne, parmi les vaches, ou dans la cellule d'un monastère, voire dans le compartiment d'un train entre deux gares, les yeux radoucis par les flocons de neige qui commencent à tomber entre Perm et Ekaterinbourg qui me ramènent à la blancheur de Pétersbourg l'immaculée, ville bien différente de Moscou, et c'est peut-être parce que Jeanne avait perçu ma détresse moscovite que vous aviez décidé de me faire visiter Léningrad l'Européenne, perle de la Baltique, joyau des tsars et des révolutionnaires.

On se regardait encore de travers, toi et moi. Enfin, surtout moi. Il a neigé pendant trois jours. Des vagues blanches encombraient les trottoirs, la Néva était hérissée de glace. On dormait dans une cité universitaire, un peu en clandé, une grande chambre avec un lit double et un lit d'appoint ; il n'y avait ni draps ni couvertures mais on s'en foutait, la chaleur était étouffante, il fallait ouvrir de temps en temps la fenêtre malgré le froid et la neige dehors pour rafraîchir l'atmosphère – on marchait des heures dans la ville, le long des rivières gelées, tout contre les palais colorés d'où pendaient des stalactites que des équilibristes brisaient depuis les balcons pour éviter qu'elles ne tombent sur les passants, projetant sur le trottoir des kilos de glace ou de neige qui s'écrasaient en faisant un bruit de fin du monde, on marchait des heures le long de l'interminable perspective Nevski de la gare de Moscou jusqu'à l'Amirauté, puis on longeait le palais d'Hiver, on traversait la Néva et si on n'était pas trop crevés on allait jusqu'à la forteresse Pierre et Paul et même, une fois, jusqu'au croiseur *Aurore* qui paraissait pris dans les glaces depuis 1918 et il était étrange d'imaginer que c'était ce bateau-là qui avait tiré les premiers coups de canon de la révolution, ce croiseur à vapeur avec ses deux cheminées hautes comme des mâts, flottant toutes bleutées dans la douce lumière d'hiver – on avait l'impression que le soleil n'allait jamais percer tout à fait, jamais finir par vraiment se lever et la nuit l'Ermitage brillait de mille feux verdâtres. Sur le chemin, on croisait toujours des écrivains, le dernier appartement de Dostoïevski, celui d'Anna Akhmatova, la maison de Nabokov près de Saint-Isaac ou l'hôtel d'Angleterre où était mort Essenine, et les traces de ces génies me rendaient un peu mélancolique, tout était blanc, étouffé par la neige, il était difficile de croire qu'au printemps il y avait des insectes et de la vie dans les parcs, des papillons pour Nabokov l'amoureux des coléoptères, des bateaux sur la Néva, des amants sur le pont de bois. Jeanne était heureuse de mon émerveillement, et toi aussi ; tu prenais plaisir à nous montrer la ville de Pierre le Grand, cette beauté baroque au bord du golfe de Finlande, et tu nous racontais des histoires : celle de Catherine la Grande et de ses amants ou le destin de Pouchkine, nommé historiographe de l'ordre des cocus par ses détracteurs, ce qui l'obligea à provoquer en duel celui qui allait devenir son assassin, après un coup de pistolet fatal au bord de la rivière Noire.

Si je me souviens de Pétersbourg, c'est surtout pour une soirée, je suis sûr que Jeanne se la rappelle aussi, on a dîné dans une cantine et bu pas mal, puis on est rentrés bras dessus bras dessous tous les trois dans le froid ; on a acheté deux bouteilles de vodka (je me souviens, Vladimir avait rempli de neige un sac en plastique pour les y refroidir le temps du trajet, on aurait dit qu'il plaçait délicatement deux poussins dans un nid de glace pour les transporter sans les réveiller) et on s'est mis à picoler en parlant de l'histoire de la Russie, de Pétersbourg et tous ses tsars dont nous avions vu la salle du trône à l'Ermitage, de Koutouzov et des officiers de la galerie 1812, et je me sentais bien, étrangement bien, la vodka était fraîche et conservait sa température sur l'appui de la fenêtre entrouverte, on fumait, on buvait, on riait, et Volodia ne me paraissait plus du tout antipathique, au contraire, il m'avait séduit avec ses histoires, son humour, sa culture, son intelligence, sa trogne de moujik, on rigolait de plus en plus, on commençait à être complètement cuits je crois, surtout Jeanne, qui s'est approchée soudain de Vladimir en lui disant je vais t'embrasser à la russe, je ne sais plus à quel propos, peut-être parce qu'on parlait de cette coutume que Pierre le Grand avait tenté d'interdire par mesure d'hygiène, le baiser à la russe, Jeanne s'est penchée sur Vladimir et l'a embrassé, je crois que j'ai ri, je crois me souvenir qu'on a tous rigolé, puis elle s'est rassise et on a repris un verre de gnôle : cinq minutes plus tard Jeanne était de retour sur les genoux de Vlad et cherchait de nouveau à l'embrasser, j'ai dit Jeanne arrête tes conneries, à moitié en riant, elle a continué et Vladimir a fini par se laisser faire, j'ai dit Jeanne c'est pas drôle, ou un truc du genre, rien n'y a fait ils avaient l'air collés l'un à l'autre par l'alcool, comme le froid attache les doigts au métal. J'ai pensé une seconde au duel de Pouchkine, à l'historiographe de l'ordre des cocus, je n'avais pas ce genre de courage, j'étais totalement désemparé, Jeanne était à demi allongée sur Vladimir qui essayait mollement de protester, j'ai murmuré un truc imbécile qu'elle n'a sans doute pas entendu, genre Jeanne reprends-toi, et je suis sorti. J'ai dévalé les escaliers, je me suis retrouvé dehors, il neigeait beaucoup ; je me suis assis le cul dans la neige sur un muret, j'ai regardé le parc de la résidence universitaire tout blanc, les statues inidentifiables, des tas gigantesques de flocons ; j'avais honte, je me sentais idiot et triste. J'ai fumé une clope, puis deux, qu'est-ce que je pouvais faire, j'ai soudain eu très froid, j'ai commencé à grelotter ; j'ai hésité un moment, j'ai décidé que ce n'était pas une bonne idée de mourir gelé et je suis remonté.

Dans la chambre la lumière était éteinte, Vladimir ronflait dans le petit lit, sur le dos.

Jeanne dormait aussi, et quand je me suis allongé tout contre elle, mes mains gelées sur ses épaules ne l'ont même pas réveillée.

EKATERINBOURG

Juste avant son départ pour Moscou, alors que je tournais en rond dans le 18ᵉ arrondissement et claquais le peu de fric que je pouvais avoir en psychotropes en tous genres sans qu'il n'en sorte rien d'autre que des pages blanches, j'ai décidé d'emmener Jeanne à Lisbonne. Ne me demande pas pourquoi, ni même pourquoi Lisbonne, parce que c'était l'Atlantique, c'était un rêve d'Atlantique, et au-delà d'Amérique, l'opposé de Moscou, de Vladivostok et de l'immensité russe, un pays minuscule, dernière frontière avant l'océan, la limite sud-ouest de l'Europe. J'ai dit à Jeanne viens on part en voyage, en vacances, toi et moi, pour passer un peu de temps ensemble avant que tu ne t'en ailles. Elle n'avait pas très envie, Lisbonne ne l'attirait pas spécialement, elle disait "tu ferais mieux de garder ton fric pour venir me voir en Russie". Moi je ne savais pas si j'avais très envie d'aller en Russie. Tu verras ça te plaira, elle disait. Je ne sais pas si ça m'a plu. Bouleversé, oui, au point de me retrouver dans un train qui file vers le néant en prenant son temps. Finalement on est partis à Lisbonne, Jeanne était distraite, elle était déjà ailleurs, est-ce qu'elle pensait à toi à ce moment-là, est-ce qu'elle savait qu'elle allait te retrouver je n'en sais rien. De Lisbonne, je connaissais un peu Pessoa, des histoires de navigateurs, un ou deux vieux fados et c'est tout. J'aimais la mélodie sèche du portugais. On s'est installés dans une pension décrépie au cœur d'un ancien quartier arabe appelé Alfama, Jeanne disait le Malfamé, très fière de son jeu de mots. Depuis la fenêtre on voyait des toits, des toits, qui descendaient en pente douce vers le Tage. C'était en juin, la ville sentait la sardine et la cerise, partout des barbecues, dans toutes les rues l'odeur du charbon de bois, puis celle, grasse et étouffante, de la sardine, à partir de dix-neuf heures des centaines de Lisboètes se pressaient autour de grills improvisés pour engloutir des tonnes de poisson. Jeanne n'aimait les sardines qu'en boîte. Tu es faite pour la Russie, j'ai dit. Arrête de m'emmerder, elle disait. Arrête de m'emmerder, tu cherches à me culpabiliser, à me faire sentir mal de partir. Ce n'est pas de ma faute si tu t'en vas, j'ai dit. Essayons d'en profiter, au moins. Alors on déambulait dans la ville inconnue, un peu hagards, complètement étrangers ; j'ai traîné Jeanne jusqu'au café de la Brasileira, où il y a la statue de Pessoa, au coin de la place Camoes. Elle faisait contre mauvaise fortune bon cœur, essayait d'être là sans y parvenir et quand nous rentrions dans notre pension étouffante, on se mettait à la fenêtre et on regardait les lumières sur le Tage, sans rien dire, sans même se toucher, et je pensais que j'étais contre un mur, que de l'autre côté c'était l'Amérique, Kerouac, Carver, l'Amérique, que Jeanne s'en allait à l'opposé, chez Gogol, chez Tolstoï, et que moi je n'allais nulle part, coincé à Paris. Avant de dormir, je buvais du cognac portugais appelé Aldeia Velha, j'essayais d'écrire deux ou trois trucs qui ne venaient pas, alors je retournais fumer à la fenêtre en regardant scintiller Lisbonne. Jeanne dormait déjà depuis longtemps. Une de ses jambes était en dehors du drap, en entier, jusqu'au haut de la cuisse, jusqu'à son tee-shirt trop court ; elle respirait doucement, le visage à moitié dissimulé par ses cheveux. De temps en temps une brise venue de l'océan envahissait la pièce et j'avais l'impression de la voir frissonner, il y avait une grande douceur dans ce moment. J'ai pensé que je l'aimais vraiment, que si cette phrase avait un sens c'était bien maintenant, dans cette ville qui n'était ni la mienne, ni la sienne, une ville rongée par la nostalgie. Je me suis souvenu de ce que Jeanne m'avait dit l'après-midi même, je ne sais plus pourquoi, les tsars buvaient du vin portugais, les tsars buvaient du vin des Açores, ils importaient à grands frais du Vinho do Pico, dont elle avait vu une bouteille dans la vitrine, et pour elle c'était comme voir un morceau du palais d'Hiver à Lisbonne, elle était soudain émerveillée. Maintenant elle dort, elle rêve sans doute de petits ours bruns ou d'une troïka dans la neige, j'ai pensé.

Je l'ai regardée dormir et frissonner dans l'air atlantique, je me suis dit qu'elle avait de la chance, que ma vie à moi était bien vide, et le lendemain on est repartis vers le nord.

L'Oural est une montagne décevante, des collines en pente douce couvertes de mélèzes où des rivières ont creusé de larges vallées, dans quatre ou cinq heures nous serons à Ekaterinbourg, Ekaterinbourg comment s'appelait-elle à l'époque soviétique, cette ville du massacre et de l'industrie lourde, interdite aux étrangers jusqu'en 1990, Vladimir nous y avait amenés, un des rares voyages que nous ayons fait tous les trois, peu de temps après mon arrivée à Moscou, une fois réglés mes interminables problèmes de visa que Volodia avait résolus en passant par une agence spéciale pour travailleurs immigrés qui corrompait les fonctionnaires de l'immigration à tour de bras, du coup il m'appelait le Tadjik, le Tadjik ou l'Ouzbek, à Ekaterinbourg il n'y avait rien à voir à part quelques vieux bâtiments constructivistes à demi ruinés et l'endroit où le tsar et sa famille avaient été passés par les armes, on y construisait une immense cathédrale, une immense cathédrale censée devenir un lieu de pèlerinage pour la Russie entière, exactement ce que les Soviétiques avaient cherché à éviter des années durant : on rendait aujourd'hui un culte aux Romanov sanctifiés et plus aux révolutionnaires qui les avaient descendus, après plus d'un an de captivité, le 17 juillet 1918. Une terrible histoire d'ogres révolutionnaires : à l'approche de la Légion tchèque, effrayé que le tsar puisse être libéré et devenir, au début de la guerre civile, le porte-drapeau des Blancs, Lénine donna l'ordre de liquider toute la famille, Nicolas II, la tsarine, les filles et les sœurs, le tsarévitch, et les domestiques qui les accompagnaient ; on les emmena dans la cave de la maison où ils étaient détenus, à la cave le tsar et sa famille et on les abattit presque immédiatement, la fumée de la poudre est telle qu'il faut ouvrir la porte et le soupirail, les corps s'effondrent sous les balles, les sœurs du tsar hurlent de douleur, on les achève à la baïonnette, le tsarévitch Alexis est mort sur le coup, il a pris une balle derrière l'oreille. Les grandes duchesses ont le thorax ouvert, qui répand une mare de sang et un flot de pierres précieuses, diamants, rubis, émeraudes, cachés dans leurs vêtements. Puis les bolcheviques sont allés se laver les mains, ils sont allés se laver les mains et ont empilé les corps impériaux dans un camion, après les avoir délestés de leurs objets personnels. Je pense au chauffeur de ce véhicule, j'imagine un gentil révolutionnaire à moustache et casquette grise, il a les mains moites sur le volant, il conduit doucement, il sent bringuebaler son triste chargement dans les cahots, il conduit l'empereur vers sa dernière demeure, une fosse sans nom en dehors de la ville, et il a beau être révolutionnaire et convaincu il est ému, il est ému parce que c'est un morceau de Russie qu'il a dans son tombereau, un grand morceau de Russie, les descendants des premiers rois de Kiev, des tsars médiévaux, d'Ivan le conquérant de Kazan, de Pierre le réformateur et de la Grande Catherine, et ils sont tous là derrière lui dans ce camion, tous morts, et ils pèsent si lourd, si lourd, que la machine peine à dépasser le trente à l'heure, le volant tremble, il sait que tout cela est terminé, que tout est terminé, que la grande vague de la Révolution vient d'abolir le monde ancien et malgré toute sa ferveur rouge, malgré toute sa force de conviction, l'homme à casquette grise a un peu peur, dans l'aube triste, il a un peu peur de ce titan fragile qui détruit si facilement l'Histoire sur son passage, alors il accélère, il accélère pour oublier et balancer toute cette nostalgie dans un cul de basse fosse avant de passer à autre chose et d'aller tout oublier dans l'alcool, avec les bourreaux qui sont déjà ivres.

Ekaterinbourg cultive aujourd'hui des tours de verre et de métal, près d'un siècle plus tard, les révolutionnaires ont tenu bon quatre-vingts ans, quatre-vingts ans avant qu'on ne déterre les restes impériaux pour les enterrer en grande pompe dans leur chapelle à Pétersbourg et qu'on ne construise ce sanctuaire clinquant, débordant d'icônes, où les bigotes émues vont foulard sur le crâne brûler un cierge au petit Alexis, l'enfant assassiné, victime de son sang royal. Que comprenait ce gamin aux événements tragiques qui allaient le balayer, que pense-t-il au moment où on le descend dans la cave, il est en détention depuis un an, sait-il qu'on fait des gorges chaudes des amours de sa mère et de Raspoutine, qu'on honnit son père responsable de la débâcle et de la pauvreté, peut-il penser qu'il va mourir cette nuit-là, parce que des soldats tchèques dont il ignore tout approchent de la ville et menacent de la prendre, sans doute pas. Pauvre Alexis, c'est bien triste : il fallait beaucoup l'aimer, la Révolution, pour lui pardonner une telle moisson de vies humaines, beaucoup l'aimer.

A Paris après le départ de Jeanne pour Moscou je ne pensais pas beaucoup à la révolution, je tournais en rond dans la ville du grand gibet et de la Roue, sans rien faire d'autre que de chercher l'oubli et le plaisir dans des produits interdits ou légaux mais difficile à se procurer, en maigrissant de jour en jour, sans appétit, sans désir, et quand l'argent se faisait rare je me rattrapais sur le whisky bon marché aux marques inconnues, chaque fois différentes, dont les noms vaguement écossais étaient toujours divertissants, même si le liquide n'était pas très agréable à boire. Je parcourais *Les Ames mortes*, dont Jeanne m'avait si souvent lu des passages, en français fort heureusement, sans que cela me donne réellement envie d'aller en Russie, tout y était si bruyant, si excessif, si loin de Carver. Je relisais *Cathédrale* en essayant d'écrire une nouvelle dès que j'avais un coup dans le nez, rien n'y faisait, ni la diamorphine, ni l'opium quand on en trouvait, ni l'alcool quand il n'y avait rien d'autre, rien n'y faisait, pas même la littérature russe, je voulais écrire une nouvelle pour Jeanne, un texte qui parlerait d'elle, une belle histoire où elle serait belle et je n'y arrivais pas. J'avais toujours sa phrase dans la tête, toujours, elle me disait "ton problème, c'est que tu écris pour boire, et pas l'inverse", peut-être avait-elle raison, je voulais un nom d'écrivain, un destin d'écrivain, une vie d'aventures, de plaisir et de liberté sans avoir réellement envie de me coltiner l'écriture, le travail, accroché à un rêve d'enfant. Et un jour alors que je venais de parler à Jeanne depuis une cabine téléphonique, dans cette tristesse que seul novembre sait fabriquer, novembre et Paris, j'ai aperçu un livre du coin de l'œil dans le bac d'un bouquiniste du quai Voltaire ; il s'appelait tout simplement *En Russie*, et était signé Olivier Rolin. J'avais trois pièces dans ma poche, je l'ai acheté, en pensant que c'était un heureux présage, tomber sur ce livre juste après avoir parlé à Jeanne. J'ignorais tout de cet auteur dont le nom avait quelque chose de familier, simple et proche. Je suis rentré chez moi à pieds, avec dans la tête la voix de Jeanne, sa belle voix, et à peine arrivé je me suis mis à lire, ce voyage était magnifique, la Russie de ce Rolin était captivante, pleine de beaux alcools et de nostalgie. A la fin du livre il y avait l'histoire d'un insecte vert appelé cétoine, dont je n'avais jamais entendu parler, qui est très fréquent dans les plaines russes, d'après l'auteur ; le voyage finissait sur ces mots : "Les pages des livres sont des pétales que ronge le scarabée vert de l'oubli."

J'ai refermé doucement le petit volume, j'ai regardé mon stylo, mes carnets luxueux désespérément vides, mon verre, ma bouteille, mes étagères, l'appartement crasseux, la vaisselle s'accumulant dans l'évier ; j'ai pensé qu'il n'y avait pas beaucoup de choses qui soient réellement importantes dans la vie, ni les œuvres que l'on écrit, ni les livres qu'on lit, ni la destinée, tout cela finissait avalé par une minuscule bestiole comme une fleur fragile, c'était triste, triste et joyeux à la fois, alors j'ai attrapé le seul objet de valeur que je possédais, mon seul trésor, l'édition originale du *Panama* signée de la main unique du grand Blaise Cendrars, trouvée par hasard dans une brocante de province, un peu rongée par l'humidité. J'ai pris *le Panama* sous mon bras sans réfléchir, bouleversé par la Russie, par Jeanne, par ce Rolin et son scarabée ; j'ai presque couru jusque chez un marchand luxueux de la rue de l'Odéon, et j'ai immédiatement vendu ce *Panama* pour la somme qu'on me proposait, sans rien négocier, sans aucune douleur, aucun regret.

Je l'ai vendu, je suis rentré chez moi, j'ai mis un peu d'ordre, j'ai bu un petit verre et je me suis effondré dans un sommeil joyeux, les doigts de Jeanne me caressaient doucement la poitrine, comme un insecte faramineux.

Et quinze jours après, quinze jours après je m'envolais pour Moscou.

NOVOSSIBIRSK

Alors nous y voilà Vladimir c'est bientôt la fin du
voyage, la fin du voyage, nous sommes presque arri-
vés, ce Baïkal Express à destination d'Irkoutsk va
bientôt parvenir à Novossibirsk, il va falloir descendre,
feignant, il va falloir te lever de cette couchette con-
fortable, dévisser tes yeux du paysage et descendre,
descendre et parcourir Novossibirsk sur l'Ob, premier grand fleuve sibérien que je vais voir, petit frère
du Iénisseï, de la Léna et de l'Amour, cette victime
fluviale d'une homophonie redoutable avec un sen-
timent destructeur qui peut lui aussi geler en hiver.
L'Ob est effectivement majestueux, extraordinairement large, que vais-je découvrir à Novossibirsk, il
faut que je prenne mon courage à deux mains, que
je sois fort. Si je restais allongé ici dans ce compartiment je glisserais jusqu'au lac Baïkal ; je l'imagine
lisse, sans une ride, engoncé dans un hiver interminable. Je me demande si je le verrai un jour. Je me
demande si je verrai un jour le Pacifique, et Vladivostok, terminus du plus long train du monde, et je
me rappelle maintenant avoir lu dans *Les Temps
sauvages* de Joseph Kessel l'histoire d'un horrible

train qui arrivait en gare de Vladivostok ; un train fantôme, où tous les passagers étaient morts du typhus, leurs cadavres grouillants de poux, après un périple de Dieu sait combien de jours en pleine guerre civile, quoi qu'il advienne le train vous amène à destination, quoi qu'il arrive il atteint son terminus, même conduit par la mort elle-même, tu vois Vlado toi aussi on a porté ton spectre jusqu'ici, jusque chez toi, je me demande ce que tu aurais dit en arrivant : "Attention, Novossibirsk est une des villes les plus laides du monde, prépare-toi", et tu aurais ajouté sans doute que le fleuve était tout de même magnifique et qu'il y avait un gigantesque musée ferroviaire en plein air, avec des dizaines de locomotives rutilantes malgré leur âge et des wagons de grand luxe si anciens que le tsar Nicolas II lui-même y aurait voyagé, et tu t'extasierais sur la taille du poêle à charbon pour chauffer ledit wagon, sur le confort du salon, sur les rideaux, tu imaginerais traverser la Sainte Russie il y a cent ans en buvant du vin de Madère et en fumant, doucement, un cigare importé à grands frais de Cuba ; ton aide de camp viendrait de temps en temps te montrer la position du train sur une carte déserte, une carte vide, verte, avec parfois les quelques grains noirs d'une bourgade saupoudrant la ligne blanche de la voie ferrée. Entre Ekaterinbourg et Novossibirsk j'ai vu des villages comme le tien, des maisons de bois peintes en couleur et ceintes d'une barrière de planches qui délimite un petit jardin, des maisons souvenirs d'une vie d'un autre âge, et j'imagine qu'en hiver la neige recouvre tout d'un blanc parfait uniquement égayé par les rouges, les bleus des clôtures et des habitations. J'ai même vu un cimetière, Vladimir, un cimetière magnifique, aux croix de bois peintes elles aussi dont les tombes sont circonscrites par un petit parc, on aurait dit un lieu magique où enterrer des poupées, des poupées russes, comme nous trois, trois *matriochki* entrées l'une dans l'autre se sont séparées, j'étais la plus petite, j'étais la plus petite, Vladimir, je profitais de votre chaleur à tous deux, j'oubliais mon vide intérieur dans cette cavité d'amitié, voilà le cimetière où il faudrait t'enterrer, Vladimir, et moi aussi, nous passerions l'éternité joyeusement réveillés par le roulement des trains qui vont vers l'Orient, ou de ceux qui en reviennent, côte à côte, à nos aises, et nous ferions coucou de la main à Jeanne, à quelques pas de là, vivante, elle, à la fenêtre de son coupé à toute vapeur. De nous trois seule Jeanne a réussi à rester vivante, elle a su nous fuir, nous mettre à distance, souffrir, mais de plus loin, tout en gardant la détermination du prince Bolkonski devant la bataille, la force de sa volonté, parce que Jeanne n'est pas la petite princesse qui se laisse bêtement emporter par ses couches ou une maladie quelconque, c'est une force, et je sais que si tu as décidé d'en finir c'est que tu ne l'avais pas, cette force, tu t'es laissé aller à l'accident, aux risques de la vie jusqu'à en crever, parce que tu ignorais comment sortir de cette histoire, comme moi tu savais que tu perdais Jeanne, qu'elle construisait son chemin dans la vie bien plus droit que nous, à la pelle, à la hache, elle se donnait la force de ses rêves alors que nous, nos songes d'enfants devenaient petits à mesure que nous grandissions, ils étaient courts, infimes, et restaient vains, contraints, encerclés comme ces petites tombes sibériennes, le train va arriver Vladimir, le train est à quai, il va falloir descendre, voilà plus de trois jours que nous sommes en route. Trois jours sans presque sortir de ce réduit, de cette cage panoramique avec vue sur la campagne. Nous rêvions d'une tout autre mort, je sais, nous rêvions d'une tout autre mort, nous qui n'avons connu ni la révolution, ni la guerre, nous rêvions d'un sacrifice, d'une noblesse, d'un courage et peut-être as-tu eu cette noblesse et ce courage, comme Tarass Boulba qui s'enquiert en mourant du sort de ses cosaques, tu as eu une pensée pour moi, pour Jeanne, pour le monde, pour l'infini tournoiement du monde, pour l'oubli qui ronge tous les noms et toutes les pages, et tu es parti vers le néant.

Le froid est intense, mais ce n'est pas le froid.

Le quai ne vibre plus il est calme, mes pieds n'en croient pas leurs orteils.

Même la lumière est différente quand on descend.

Les voyageurs regardent à gauche et à droite, perdus, contrairement au train le quai ne donne aucune direction, on peut le parcourir à rebours.

Je marche ; les passagers se sont orientés et leur flot me guide vers la sortie, la gare est encombrée et bruissante, un immense panneau d'affichage lumineux annonce Moscou, Irkoutsk, Vladivostok, m'y voilà. Pourquoi suis-je venu jusqu'à Novossibirsk, Jeanne m'avait bien prévenu, ça ne sert à rien ce voyage, c'était peine perdue, je suis venu pour te ressusciter, pour mourir moi-même, pour te rejoindre je crois et nous trouver une tombe sibérienne, et dans ces premiers pas sur le sol fixe de la Sibérie, un vrai sol qui ne soit pas celui du train, je peine à marcher et j'ai froid.

On ne va jamais au bout des voyages, on s'arrête toujours avant, la gare de Novossibirsk est à mi-chemin, à mi-chemin, je m'en rends compte maintenant, à mi-chemin entre Moscou et le Pacifique, à mi-chemin entre nous, dans un vide, au cœur d'un triangle, au barycentre de la Russie, dans le vide, et il n'y a rien d'autre qu'une ville qui se bat contre les forêts et l'hiver, une ville d'usines de camions, d'avions, de chars ou Dieu sait quoi d'autre, peut-être fabrique-t-on ici les fusées qui strient le ciel pour emporter les hommes vers les étoiles, ou des satellites, qui sait. La gare est glaciale et il n'y a rien d'amical dans ces voyageurs qui arrivent ou qui partent, rien. Je t'ai perdu Vladimir, j'ai perdu Jeanne aussi et je suis bien seul. L'automne me glace. Le fleuve est tout près, derrière les voies, on sent son souffle gelé. La gare est jolie, elle me rappelle celles de Moscou, les belles gares de Moscou, Jeanne n'est pas là pour m'attendre, tu as dû te dire ça toi aussi en arrivant dans ton terminus, dans ton train de morts en route vers le Pacifique, Jeanne ne sera plus là pour m'attendre. Il y a un immense hôtel soviétique en face de la gare, un mastodonte de vingt étages, je vais aller là. Je vais aller là et qu'est-ce que je vais faire, prendre une chambre, attendre, demain peut-être j'irai jusqu'à ton village et quoi, qu'est-ce que je vais faire, il n'y a rien de plus à Novossibirsk, rien, je le savais déjà en partant. Les choses sont si fragiles, si fragiles, les souvenirs, le bonheur, les chansons, les embrassades, les désirs, il faut bien se mouvoir, prendre des trains, aller de ci, de là, errer dans la Russie.

L'employée de l'hôtel me donne une chambre au 15e étage, avec vue sur les voies, les trains, et au-delà le fleuve qui se teinte de rose dans l'aube.

Je voudrais

Je voudrais n'avoir jamais fait mes voyages

Ce soir un grand amour me tourmente

Et malgré moi je pense à la petite Jeanne de France

C'est par un soir de tristesse que j'ai écrit ce poème en son honneur

Jeanne

Je suis triste je suis triste

J'irai au Lapin Agile me ressouvenir de ma jeunesse perdue

Et boire des petits verres

Puis je rentrerai seul

Paris

Ville de la décapitation, de la guillotine et du tombereau.

Pourquoi ces vers me reviennent-ils maintenant en mémoire, pourquoi ?

Vladimir, Jeanne, Paris, Moscou, Novossibirsk, les trains ont fini de courir le long des voies, les trains ont fini de courir.

Je suis venu jusqu'ici pour disparaître, je m'en rends compte comme Jeanne s'en rendait compte à

Moscou, je suis venu car ma dette envers toi est trop immense, si grande qu'il m'est impossible de l'accepter, Volodia, on ne lègue pas un amour en s'en allant, on l'emporte avec soi.

Je m'allonge sur le lit les yeux vers la fenêtre, mais tout est immobile. Il n'y a plus aucun mouvement dans le paysage. Sur la table de nuit, un téléphone ; je pourrais appeler Jeanne, tu sais, je pourrais appeler Jeanne et lui dire je regrette, pardon, ou toutes ces conneries que les gens se disent, ou peut-être que les gens ont raison, j'ai envie d'appeler Jeanne juste pour entendre sa voix, pour l'entendre respirer, si loin, à Moscou, à quatre mille kilomètres d'ici, il y a si longtemps, tu sais, si longtemps que je connais cette respiration, cette hésitation devant certains mots, devant les mots d'amour, je sais que nous aurons du mal à raccrocher, je sais que nous resterons silencieux après nos adieux dans le silence, nous nous sommes si longtemps parlé dans la nuit, si longtemps, nous avons si longtemps joué à mourir. Je te comprends, les seules fois où nous savions vraiment être trois, vraiment, c'était lorsque nous chantions, peut-être. Nous nous excluions l'un l'autre, Vladimir, dans nos longues hésitations, dans notre pudeur. Je regrette. Je regrette les moments flous, les moments de tendresse, l'impossibilité d'admettre que nous étions trois, cette terrible morale biologique qui nous condamne à la bijection, à la symétrie. Jeanne n'a jamais rien dit. Elle ne nous a exclus ni l'un ni l'autre. Nous nous sommes repoussés, toi et moi, face à l'aiguille d'une boussole. Je suis parti parce que Jeanne m'a demandé de partir, et toi ? Il n'y a pas d'accidents. Tu t'es laissé manger petit à petit par la nuit.

Comme moi.

Et dans la solitude de cette chambre d'hôtel, à Novossibirsk, ville du froid, de l'Ob silencieux et de la glace, je vais m'endormir. Je vais m'endormir, je vais avaler ces comprimés dans ma valise. Ces molécules qui nous ont donné tant de bonheur, je vais les prendre pour m'endormir, je vais les avaler avec un grand verre d'eau sibérienne ; je penserai à Jeanne, je penserai à toi, que je vais revoir, je penserai à ta berceuse, à cette chanson si belle et si joyeuse et si triste car le sommeil est ce qui ressemble le plus à la mort, je vais me laisser aller à ta berceuse, m'endormir en t'écoutant, je vais m'endormir en t'écoutant et je tiendrai en rêve la main maigre de Jeanne, avec ces veines saillantes que j'aimais parcourir du doigt, et nous serons tous les trois, dans ce sommeil, et je penserai à vous, une dernière fois, et je m'endormirai.

Еще не умер ты, еще ты не один, tu n'es pas mort encore, tu n'es pas encore seul, je suis là avec toi, je sais que tu m'entends. Laisse-moi te parler, je viens rompre ce silence. Je viens te prendre par la main, c'est mon tour. Je savais, quand tu as quitté Moscou, que tu ne reviendrais pas ; je le savais comme on sait que la terre tourne, ou que les temps vont finir, sans en prendre conscience. Je vais te répéter ces mots jusqu'à ce que tu te réveilles. Еще не умер ты. Je ne partirai pas d'ici. Nous sommes bien loin de Montmartre. Je t'attends. On me dit que tout espoir n'est pas perdu, que tu es dans un grand rêve cotonneux, que ton cerveau fonctionne doucement. Tu vas t'éveiller et nous partirons pour un long voyage, cette fois-ci nous irons jusqu'au Baïkal, jusqu'au Pacifique, en hiver, quand tout sera uniforme et tranquille ; jusqu'au Baïkal, tu m'entends ? Jusqu'au Pacifique ! Je serai contre toi, dans un coupé qui ouvrira la nuit, le lit immense de la neige, grise sous les étoiles. Il te reste des trains à prendre, des mains à tenir. Ne pars pas sans moi, je t'en prie. Les médecins disent que rien n'est joué, alors je vais rester là. Tu as tenu jusqu'à Novossibirsk. Tiens bon, et tu verras le reste du chemin jusqu'au bout du continent. Si tu veux après Vladivostok nous rentrerons à Moscou ; on se fera un thé et on se mettra au lit, l'un contre l'autre, et tout ne sera que douceur, je te le promets. Le soir on s'emmitouflera, on enfilera des bonnets et des gants et on ira patiner, ou voir une pièce au théâtre Taganka, ou boire des verres dans un endroit chic des bords de la rivière, et ça te fera rire, on fera tout ça à la suite, et après on mangera une patate bouillante au kiosque, ou je t'emmènerai au Mou-Mou à trois heures du matin et on dévorera des machins dégueulasses avec des champignons et de la crème, comme avec Vladimir, ou si tu veux on rentrera à Paris, et j'irai avec toi à Paris, cette fois-ci je verrai ta chambre de bonne royale, comme tu disais, et ce sera bien aussi. Ce sera bien à Berlin, à Barcelone, à Budapest, tous ces endroits qui te font rêver, ce sera comme à Moscou il y a longtemps, on s'amusera, on apprendra des choses nouvelles on aura froid ou chaud on se détestera par moments, par moments seulement, parce qu'on aura trop chaud ou trop froid qu'on s'aimera trop ou pas assez mais reste, pour vivre tout ça il faut rester, tu ne peux pas t'évaporer en Sibérie dans un lit d'hôpital, tu ne peux pas, écoute-moi pour une fois.

L'infirmière m'entend parler français et se tait.

Elle a l'air émue par notre jeunesse, elle te trouve trop jeune pour être là, tu vois ? Elle sait, elle, fais-lui confiance. L'heure n'a pas sonné, crois-moi, c'est un accident ; c'est un accident de plus. Je ne peux

pas vous perdre tous les deux, je ne peux pas vous
perdre l'un après l'autre, ce n'est pas possible. Il faut
que tu sois avec moi. Je sais tout ce que tu as perdu,
toi aussi, ne t'inquiète pas, je le sais, c'est une terrible
sécheresse qui t'assaille et t'empêche de respirer au
moment de t'endormir, je connais ça ; au moment où
tu crois t'assoupir tu étouffes et te réveilles encore et
toujours, je connais cette sensation, on ne peut s'en-
dormir que par mégarde, de jour, dans le métro ou
l'autobus, comme par inadvertance, et le reste du
temps c'est impossible. On est poursuivi. Chaque
geste. J'ai jeté la radio parce que quand je me levais
le matin elle était allumée ; je le trouvais là, assis
devant un café et la radio, alors j'ai balancé le poste
et je bois du thé. Tu ne peux pas m'en vouloir. Tu ne
peux pas t'en vouloir. J'ai compris, tu sais. J'ai com-
pris avec mes crochets dans la peau du dos au milieu
de ce club pour tatoués à Moscou où je faisais sem-
blant d'avoir une extase suspendue au plafond en
saignant, j'ai compris, j'ai vu l'immense culpabilité
qui nous tenait, pardonne-moi, je sais que tu t'en veux
parce que tu crois que je t'aimais plus que lui, je sais
qu'il est mort pour la même raison, tu ignores tout
ça, tu ne veux pas savoir, tu ne veux pas que je te
parle de lui mais c'est trop tard.

   Reste.

   Reviens.

   Il faut que je te dise, je n'ai jamais vraiment cou-
ché avec Vladimir, jamais vraiment fait l'amour, ces
choses ont leur importance, ou n'en ont pas, il n'arri-
vait pas à me…à me pénétrer, il faut que tu le saches,

c'est terriblement intime de dire cela, mais c'est vrai,
il partait baiser des filles inconnues qu'il prenait
contre un mur ou dans des chiottes de boîte de nuit
mais moi non, il était comme un puceau très tendre,
il te voyait dans la nuit, il me caressait un peu et
s'énervait, se levait s'effaçait allait boire ou fumer
se piquer dans un coin et puis il revenait, essayait
de me…de me la mettre comme vous dites et il était
mou immédiatement, il s'énervait un moment avant
de rire et de me faire jouir avec ses mains, pardonne-
moi, il trouvait des excuses, l'alcool, la drogue ou
l'hiver, et j'étais perdue, je restais sans rien faire je
ne devrais pas te raconter tout ça mais il faut que
tu saches. Il ne voulait pas, je crois, malgré tout
l'amour qu'il avait pour moi, pour toi, il ne voulait
pas, alors ne pense pas à ça et reviens.

Reviens juste parce que maintenant tu sais que Vladimir était comme toi, qu'au fond il avait honte et peur,
honte de lui-même et peur de te faire du mal, et que tu
aies abdiqué ne changeait rien pour lui, même après
votre discussion de machos ivrognes, des ours parta-
geant une femelle, j'ai beaucoup pleuré quand j'ai su,
beaucoup pleuré avant de m'en foutre parce que vous
étiez deux idiots qui ne voyaient pas la chance que
nous avions, la chance de s'aimer si fort tous les trois,
vous ne couchiez pas ensemble, d'accord, pourtant
vous aviez vos rituels, vos étreintes, et pour vous j'étais
quantité négligeable, Jeanne qui est toujours là pour
les doigts de l'un ou la bite de l'autre, et maintenant tout
ça n'a plus d'importance, parce que vous avez choisi
de partir, de partir et de me laisser là, à mi-chemin.

Dans cet hôpital de Novossibirsk où tu ne dis rien, pris dans ton dernier voyage. Mais tu n'es pas mort tu n'es toujours pas seul, je suis là.

J'aurais pu partir moi aussi.

Pas dans un train vers la Sibérie, c'est sûr, mais j'aurais pu décider de vous laisser à votre histoire, tous les deux, je ne l'ai pas fait, pour toi, entre autre, pour lui aussi, parce que tout cela est compliqué.

Très vite j'ai compris.

J'ai compris que la Russie nous mangeait comme un ogre.

Tous ces récits, tous ces contes, toutes ces chansons.

On va de l'avant.

On va toujours de l'avant.

Ce qui a tout foutu en l'air, c'est que j'étais amoureuse de toi. De toi, mais aussi de la Russie, de son côté sauvage, de Volodia qui partait toujours en chantant.

On va de l'avant.

Nous sommes des trains qui se sont croisés sur une voie unique, celle de la Russie à toute vapeur, de Moscou brûlante et froide, de l'Oural mystérieux, emportés par des fleuves interminables.

Nous nous sommes perdus.

Noyés dans les cahots d'un voyage de 8000 verstes, disparus dans la brume, nous nous sommes perdus, alors reviens, reviens, sors de ce silence, guidé par l'étoile du souvenir de Vladimir, le roi du monde, c'est ce qu'il aurait voulu, tu le sais comme moi, il aurait voulu notre bonheur, ton succès, que nous quittions la douce violence russe, que tu écrives des livres, des livres et des livres, il avait hâte de te lire, tu te souviens, il t'encourageait, lui, ne pense plus au scarabée vert de l'oubli, viens, vis, travaille, fais-le pour Volodia si tu ne le fais pas pour moi, si quelque chose s'est brisé, si tu ne m'aimes plus porte-le, lui, sur tes épaules, porte-le comme une médaille autour de ton cou.

Regarde, par la fenêtre on voit le fleuve sibérien de l'aube, déjà, métallique et irisé.

Ton cœur bat dans ma main, nos cœurs battent dans nos mains, tous les cœurs battent dans toutes les mains.

Le soleil finira bien par se lever.

TABLE

BABEL

Extrait du catalogue

Ouvrage réalisé
par l'Atelier graphique Actes Sud.
Achevé d'imprimer
en novembre 2015
par Normandie Roto Impression s.a.s.
61250 Lonrai
sur papier fabriqué à partir de bois provenant
de forêts gérées durablement (www.fsc.org)
pour le compte
des éditions Actes Sud
Le Méjan
Place Nina-Berberova
13200 Arles.

Dépôt légal
1re édition : mai 2012
N° impr. : 1505154
(Imprimé en France)